Der Vorleser

Bernhard Schlink

朗読者

ベルンハルト・シュリンク
松永美穂 訳

CREST BOOKS
Shinchosha

朗読者

DER VORLESER

by

Bernhard Schlink

Sculpture & Photograph by Ryuji Mitani
Design by Shinchosha Book Design Division

I

I

十五歳のとき、ぼくは黄疸にかかった。病は秋に始まり、翌年の初めになってようやく癒えた。年が押し詰まって寒さがつのり、天気がどんよりするにつれて、ぼくの体は衰弱していき、年が改まってようやく快方に向かうことができたのだ。その年の一月は暖かく、母はぼくがバルコニーで横になれるようにしてくれた。ぼくは空や太陽や雲を眺め、中庭で遊ぶ子どもたちの声を聞いた。二月のある夕刻には、ツグミの歌う声も聞こえた。

ブルーメン通りの、十九世紀末に建てられたどっしりした一戸建ての三階にぼくたちは住んでいた。元気になったぼくが最初に出かけた先はバーンホーフ通りだった。前年十月のある月曜日、学校からの帰り道にそこで吐いてしまったのだ。その何日も前から具合が悪かった。これまでに体験したことがないような具合の悪さだった。一歩歩くのにも骨が折れた。家や学校で階段を上がるときなど、足がほとんど前に出なかった。食欲もなかった。お腹を空かせて食卓に着くのに、すぐに食べたくなくなってしまう。朝、目が覚めると口はからからに渇き、体のなかでは内臓がまるで間違った場所にあるように重たく感じられた。こんなに体調が悪いのが恥ずかしく思えた。吐いてしまったときには、すごく恥ずかしい気がした。吐くのは生まれて初めての体験だった。口の中に何かがこみ上げてきて、ぼくはそれを飲み込もうと試み、唇をしっかりと重ね合わせ、手で口を覆ったのだけれど、こみ上げてきたものは口から飛び出し、指のあいだから流れ出した。ぼくは建物の壁にもたれ、足もとの吐瀉物を見ながら、薄く色のついた胃液を吐いた。

そのとき一人の女性が、ほとんど乱暴といってもいい態度でぼくの面倒を見てくれた。彼女はぼくの腕をとり、その建物の暗い通路を通って中庭に連れていった。庭の上には窓から窓へひもが張り渡され、洗濯物がぶら下がっていた。中庭には材木が積まれていて、窓を開け広げた作業場の中でノコギリが音を立て、おがくずが飛んでいた。中庭に入るドアの横に、水道があった。その女性は水道をひねるとまずぼくの手を洗い、くぼめた両手に水を受けて、ぼくの顔にかけた。ぼくはハンカチで顔をぬぐった。

「そっちを持ちなさい!」水道の脇にはバケツが二つ置いてあった。彼女は一方のバケツをつかんで水を満たした。ぼくはもう一つの方を水で満たして、彼女のあとについてまた通路を通り抜けた。彼女は勢いをつけて歩道に水をぶちまけ、ぼくが吐いたものを下水溝に押し流した。ぼくの手からもバケツをとると、もう一杯、歩道の上に水を流した。

彼女は体を起こすと、ぼくが泣いているのに気づいた。「坊や」、彼女は不思議そうに言った、「坊や」。そうしてぼくを抱きしめた。ぼくたちは背丈がほとんど同じだった。ぼくの胸のところに彼女の胸を感じた。ぴったりと抱き寄せられて、自分の口臭と、彼女の新鮮な汗の匂いを嗅いだ。自分の腕をどこに回したらいいのかわからなかった。ぼくは泣くのをやめた。

彼女はぼくに住所を尋ね、バケツを通路に置くと、家まで送ってくれた。片手にぼくの通学鞄を持ち、もう一方の手でぼくの腕をとって、彼女はぼくの横を歩いていた。バーンホーフ通りからブルーメン通りまでは大した距離ではなかった。彼女は急ぎ足で、決然と歩いていたのだが、その方がぼくには歩調が合わせやすかった。ぼくの家の前に来ると、彼女は別れの挨拶をした。

その日、母が医者を呼んできて、黄疸の診断が下った。療養中のあるとき、ぼくは母にあの女性の話をした。そうでなければ彼女のもとを訪ねることにはならなかっただろう。しかし母は、元気になったらすぐお小遣いで花束を買って彼女のところへ行き、自己紹介してお礼を言わなくてはいけない、と言った。そんなわけで二月末のある日、ぼくはバーンホーフ通りへ行ったのだった。

2

バーンホーフ通りにあったあの家は、いまはもうない。いつ、どうしてそれが取り壊されてしまったのか、ぼくは知らない。長いあいだ、故郷に帰らなかったから。一九七〇年代か八〇年代にできた新しい建物の方は、五階建てで、屋根裏にあたる階も広くなっている。出窓やバルコニーなどはなく、外壁はつるつるした明るい色に塗られている。呼び鈴がたくさんあるところをみると、内部は小さなアパートに分かれているらしい。レンタカーを借りてどこかに乗り捨てるような感覚で、人が入居してはまた出ていくアパート。一階はいまコンピューターショップになっている。以前はドラッグストアと、食料品店と、レンタルビデオの店があった。

古い建物は、同じ高さで四階建てだった。一階はぴかぴかに磨いた砂岩の角石で造られており、その上の三つの階の壁は煉瓦で、出窓と、バルコニーと、窓枠が砂岩でできていた。道路から一階に上がるところには、上へ向かうにつれて狭くなっている数段の階段があって、両側を壁で挟まれており、その段についている鉄の手すりは、一番下のところで蝸牛の殻のようにくるくる巻いていた。玄関の両側には柱があって、柱の上の台座の一隅からは一匹のライオンがバーンホーフ通りを右に、もう一匹が左に眺めていた。あの女性が中庭の水道のところにぼくを連れていったのは、通用口の方だった。

小さいころから、ぼくはここを知っていた。通りの中で、この建物は他を圧していた。もしこの建物がもっと重たく、幅広くなるようなことがあったら、隣接している家々は脇に動いて、場所を空けてあげなくちゃいけないんだろうな、と考えたものだった。ぼくは中の様子を勝手に想像し、階段の踊り場にはしっくいが塗られ、鏡が置いてあって、オリエンタル模様の絨毯が敷いてあり、ぴかぴかに磨かれた真鍮の手すりが一段ごとについているんだろう、と考えた。こんな優雅な家には、上流階級の人々が住んでいるんだろうな。しかし、この建物が歳月と汽車の煙によって薄黒くなってもいたので、ぼくはここに住むはずの優雅な人々にも、陰気なイメージを抱いていた。多少変人で、ひょっとしたら耳が聞こえなかったり口がきけなかったり、背中が曲がっているとか、足を引きずっているとか。

のちになって、ぼくはくり返し、この家の夢を見た。夢はどれも似ていて、一つの夢とテーマがヴァリエーションになっているだけだった。知らない町を歩いていてこの家を見かける、という夢だ。知らない区域のずらりと並んだ建物の中に、この家があるのだ。ぼくは混乱してさらに歩いていく。知っている家のようでも、その区域は初めてなのだから。それから、見たことのある家なんだという考えが浮かんでくるが、故郷のバーンホーフ通りではなく、どこか別の町、別の国のことを思い浮かべている。たとえば夢の中でぼくはローマにいて、あの家はベルンで見たことがあるのかな、と考えている。夢の中の記憶にぼくは安心し、その家を以前と違う環境の中に見いだしても、昔の友人にたまたま別の場所で会うようなもので、特におかしいとは思わない。

ぼくは引き返して、その家のところに戻り、段を上がる。家の中に入ろうとする。ドアノブを押す……。

その家が田舎にあるときは、夢はもっと長く続く。あるいは、目覚めたあとでも細部をよく思い出すことができる。ぼくは車を運転していて、右手にあの家が見える。都会の風景の中にありそうな家が、何もない開けた土地に立っていることをいぶかしく思いながら、とりあえずさらに車を走らせる。それから、見たことのある家だったと気づいて、二重に混乱する。どこでその家を見たのかに気づくと、ぼくは車をUターンさせる。夢の中では道路はいつも空いていて、ぼくはタイヤをきしませながら方向転換し、猛スピードで戻ることができる。遅れはしないかと心配で、ますますスピードを出す。そうするとまたあの家が見えるのだ。畑に囲まれて。それはプファルツ地方の菜の花畑や麦畑だったり、ブドウ畑だったり、あるいはプロヴァンスのラヴェンダー畑だったりする。土地は平らで、あるとしてもせいぜいわずかな起伏ぐらいだ。木は生えていない。明るい日で、太陽が輝き、空気はかすかに光り、道路は熱でてかてかしている。防火壁があるために、家が切断され、どこか不足しているように見える。あれはどこかよその家の防火壁なのかもしれない。あの家は、バーンホーフ通りにあるときよりも薄黒くなってはいない。しかし、窓は汚れていて、部屋になにがあるのかは全く見えない。カーテンさえ見えない。家自体が不透明なのだ。

ぼくは道端に車を停め、道をわたって玄関に向かう。誰もいないし、なにも聞こえない。遠くでエンジンの音がするとか、風が鳴るとか、鳥がさえずるということもない。世界は死に絶えている。ぼくは段を上がり、ドアノブを押す。

でもドアを開けることはない。目を覚ますと、自分がドアノブをつかんで押したことだけはわかっている。そうして夢全体を思い出し、前にも見た夢だったと気づくのだ。

3

ぼくはあの女性の名前を知らなかった。手に花束を持ったまま、呼び鈴のついた玄関の前にもじもじとたたずんでいた。できれば家に帰りたかった。そのとき一人の男が出てきて、誰のところに行きたいのか尋ね、それは四階のシュミッツさんだ、と教えてくれたのだった。

しっくいも塗られていなければ、鏡も、絨毯もなかった。建物の正面ほど壮麗ではないにせよ、階段の周辺もかつてはこぎれいだったはずなのだが、そんな控えめな美しさはとうに失われていた。階段の赤い塗装は真ん中のところが踏み荒らされて色あせていたし、階段の脇の壁に肩の高さまで張ってあるリノリウムはすり切れていた。手すり棒の欠けた部分には、ひもが張り渡してあった。掃除に使う洗剤のにおいがした。ひょっとしてそれは全部、あとになってから気づいたことだったかもしれない。そこはいつも変わらずみすぼらしくはあったが清潔で、いつも同じ洗剤のにおいを漂わせていた。ときにはそれがキャベツや豆の匂い、焼き肉の匂いや、洗濯物を煮沸する匂いと入り交じっていた。この家の他の住人については、そうしたにおいやドアの前の足音、呼び鈴の下の名札以上のことを知る機会はなかった。階段で誰か他の人に会ったことがあるかどうかも思い出せない。

どうやってシュミッツさんに挨拶したのかも、もう覚えていない。おそらく、自分の病気のことや彼女が助けてくれたこと、それに対する感謝の言葉などを二つ三つあらかじめ準備して、暗唱したのだろう。彼女はぼくを台所に通してくれた。

彼女の住まいの中では台所が一番大きくて、コンロと流し台、浴槽と湯沸かし器、テーブルと二脚の椅子、食器棚と洋服ダンス、それにソファーがあった。ソファーの上には赤いビロードのカバーが掛けられている。台所には窓がなくて、バルコニーに出るドアのガラスから光が入ってきていた。大した光ではない。ドアが開いているときだけ、台所は明るかった。ドアを開けると、中庭にある建具屋からノコギリのきしむ音が聞こえ、木材の匂いがした。

アパートの中にはほかに、小さくて狭い居間があって、配膳台とテーブル、椅子が四つ、幅の広い背もたれのある安楽椅子、ストーブなどがあった。この居間は冬でも暖房を入れなかったし、夏にもほとんど使われなかった。窓はバーンホーフ通りに面していて、以前は駅として使われていた地所が見えた。そこは掘り返されていて、新しくできる裁判所兼役所の建物の基礎が、もうあちらこちらに置かれていた。そのほかには、窓のない便所があった。便所の中が臭くなると、においは廊下にも広がった。

ぼくたちが台所でどんな話をしたのかも、もう思い出せない。シュミッツさんはアイロンかけをしていた。毛布と麻布をテーブルの上に広げて、かごから一枚一枚洗濯物をとり、アイロンをかけてから畳んで、二つある椅子の一つに置いていた。もう一つの椅子にはぼくが座っていた。彼女は下着にもアイロンをかけていて、ぼくはそれを見るまいとしたのだが、目をそらすことができなかった。彼女は青地に赤の薄い小花模様のついた、袖のないエプロンドレスを着ていた。肩にかかる長さの灰色っぽいブロンドの髪は、首の後ろに髪留めでまとめていた。むき出しの腕は青白かった。アイロンをつかみ、かけてから置き、洗濯物を畳んでは脇にどける手の動きは、ゆっくりと自分のやることに集中しており、それと同じく彼女自身もゆっくり集中しながら、動いたりしゃがんだり立ち上がったりしていた。記憶の中で、彼女の顔にはその後の顔がかぶさってしまっている。当時の彼女を思い起こそうとすると、顔のない姿になってしまうのだ。ぼくは彼女の顔を再構成しなければいけない。秀でた額、高い頬骨、薄青色の目、ボリュームたっぷりで、くぼみもなく均等に弧を描いている唇、力強い顎。大きくて、つんと澄ました、女っぽい顔。その顔をきれいだと思ったことは覚えている。でも、その美しさは記憶の彼方にあるのだ。

4

「待ってて」

ぼくが立ち上がってもう行こうとしたときに彼女が言った。

「わたしも出かけなきゃいけないから。その辺まで一緒に行くわ」

ぼくは玄関の手前で待った。彼女は台所で着替えていた。ドアがほんの少し開いている。ぼくはエプロンを脱いで、うすみどり色の下着姿で立っていた。椅子の背には一組のストッキング。彼女はその片方をつかむと、両手を交互に使ってくるくると丸めた。片足でバランスをとり、一方の踵をもう一方の足の膝で支えると、前に屈み、丸めたストッキングを爪先にかぶせた。それから足を椅子の上にのせ、前に屈んで、丸めたストッキングを爪先からふくらはぎ、膝、太ももへと伸ばすと、体を脇に傾けてストッキングを靴下留めにとめた。それから体を起こして足を椅子から降ろすと、もう片方のストッキングを手にした。

ぼくは彼女から目を離すことができなかった。彼女の背中と肩。胸は下着に隠されているというよりも包まれているといった感じ。踵を膝で支えたり、足を椅子にのせるときには、尻のところで下着がぴんと張った。最初はむきだしで、青白かった足は、ストッキングをはくと絹のような光沢を放ち始めた。

　彼女はぼくの視線を感じとった。ストッキングを手にしたところで動きをとめ、ドアの方にむき直ってぼくの目を見つめた。どんな見つめ方だったか、ぼくにはわからない。いぶかしそうだったのか、もの問いたげか、知ったかぶりか、非難たっぷりか。ぼくは赤面した。顔から火の出る思いでその瞬間立ちつくしていた。それからもう我慢ができなくなって、その部屋から飛び出し、階段を駆け下りて外に出た。

　ぼくはゆっくりと歩いていった。バーンホーフ通り、ホイザー通り、ブルーメン通り。何年も前からぼくの通学路だった。ぼくはどの家も、どの庭も知っていた。垣根だって全部覚えていた。毎年塗り直される垣根もあれば、木がもう灰色でぼろぼろになっていて、手で押しただけでその部分が崩れる垣根もあった。鉄柵の脇を通るときは、棒で一本ずつ鳴らしたものだった。高いれんが壁の向こう側には、不思議なものや恐ろしいものをいろいろと想像していたが、よじ登れるようになってから見てみると、手入れされていない花壇やブドウ畑、野菜畑などが並ぶ退屈な風景が広がっていたりした。ぼくは円い舗石の道も、タール舗装の道も知っていたし、歩道が舗石から波状の玄武岩、タール、砂利へと変化していくところも熟知していた。

　ぼくにはすべてが馴染みのものだった。ぼくの胸の鼓動がおさまり、顔のほてりも引いてきたとき、台所と玄関のあいだで起こったことはもう遠景に退いていた。ぼくは腹が立ってきた。人から期待されるようなクールな振る舞いをするかわりに、子どものように逃げ出してしまったのだ。もう九歳ではなく、十五歳だというのに。ともあれ、クールな反応をするにはどうすればよかったのかは、謎のままだった。

もう一つの謎は、台所と玄関のあいだの出来事そのものだった。どうしてぼくは彼女から目をそらすことができなかったのか？　彼女はたくましいと同時にとても女らしい体つきをしていた。ぼくが気に入って目で追ったりしている女の子たちよりもずっと豊満な体つきだった。プールで出会ったのだったら、それほどぼくの注意を引かなかったことは確かだ。プールにいる女の子や女性たち以上に、彼女が体をむき出しにしたというわけでもなかった。それに彼女は、ぼくが夢見ていた女の子たちより、ずっと年上なのだ。三十過ぎ？　まだ自分自身が達していない年齢、自分に迫ってきてもいない年齢を推測するのは難しかった。

何年も後になってから、はっと思いいたった。彼女の姿ではなく、動作から目を離すことができなかったのだ。ぼくはガールフレンドたちに、ストッキングをはいてみてくれないかと頼んだ。でも、どうしてそんなことを頼むのか説明したり、台所と玄関のあいだでの出来事を話したいとは思わなかった。そこでぼくの頼みは、靴下留めやレース飾り、エロティックな振る舞いへの願望ということに落ちついた。そうしてその願いをかなえてくれる場合、女性は、わざと媚びるようなポーズをしてみせるのだった。でも、ぼくが目をそらせなかったのは、そんなことのためではない。彼女はポーズもとらなかったし、媚びたりもしなかった。そんなことを一度でもしたことがあったかさえ、思い出せない。彼女の肉体やその態度、動作は、ときには鈍重な印象をぼくの記憶に残した。彼女がそんなに重たかったというわけではない。むしろ彼女は体の内部からきゅっと引っ張られているように、ひきしまって見えたし、体をあるがまま、脳の命令には邪魔されない穏やかなリズムに委ねて、外部の世界を忘れているようにも見えた。そんなふうな没我の境地が、ストッキングをはいている彼女の態度にも表れていたのだ。そのときの彼女は鈍重などではなく、流れるように優雅で、魅惑的だった。乳房や尻や足といったたぐいの誘惑ではなく、この体の中で世界を忘れなさいとぼくを招いていた。

いまではそれがわかり、確信を持っているにしても、当時はわかっていなかった……。それにしても当時は、どうして興奮したのだろうと考えるだけで、興奮がよみがえってきたものだ。謎を解くために、ぼくはその出来事を思い浮かべてみる。すると、それを謎としてとらえることでぼくの中に生まれた距離感が、消滅してしまうのだった。ぼくはまたすべてを眼前に見、またもやそこから目をそらせなくなる。

5

一週間後、ぼくはまた彼女の家の戸口に立っていた。

一週間というもの、ぼくは彼女のことを考えまいとした。しかし、ぼくを満たして、他に気持ちを向けさせてくれるものは何もなかった。医者からはまだ登校の許可が出なかったし、何か月も読書した後では、本にもうんざりしていた。友だちは見舞いに来てくれたけれど、あまりにも長く病気をしていたために、彼らとぼくの日常をつなぐ話題もなくなってしまい、訪問時間はどんどん短くなっていった。きつくない程度に、毎日少しずつ距離を延ばして散歩をするのがいいといわれた。ほんとうは、きついことでもやった方がよかったのだ。

子ども時代や少年時代の病気というのは、なんとも呪われた時間だ。外の世界、中庭や庭園、道路などでみんなが自由に遊んでいる声は、ほんの少しくぐもった音になって病室まで聞こえてくる。部屋の中では、病人が読んでいるお話の世界、さまざまな登場人物の世界が幅を利かせている。熱が知覚を衰えさせ、空想をとがらせるので、病室は新しい、よく知っていながら未知の場所となる。怪物がカーテンや壁紙の模様の中に醜い顔を現す。椅子や机や本棚や箪笥が山のようにそびえ立ったり、家や船になったりする。それらは手でつかめるほど近くにありながら、遠く離れてもいるのだ。病人は教会の鐘を数え、時折通り過ぎる車の音を聞き、ライトの照り返しが壁や天井をなでていくのを見ながら、長い夜を過ごす。眠ってはいない時間、しかし不眠というわけではない。何かが不足しているのではなく、満ち満ちている時間なのだ。憧れや思い出、不安や欲望が迷宮を作り出し、病人はその中で自分を見失い、また発見し、また見失う。それは、良いことも悪いことも、すべてが可能になる時間だった。

病気が快方に向かうと、そうしたことは少なくなってくる。でも、病気が長く続いた場合には、病室に幻影がしみこんでいて、もう熱も下がり治りかけているその病人を、また迷宮の中に迷い込ませてしまう。

ぼくは毎朝、やましい気持ちで目を覚ました。ときにはパジャマのズボンが濡れていたり、シミが拡がっていることもあった。ぼくが夢で見た光景や場面は、ほめられたものではなかった。母や、堅信礼のときにぼくを指導してくれた尊敬する牧師さんや、子ども時代の秘密をいつも打ち明けていた姉にもし打ち明けたとしても、叱られたりしないだろうということはわかっていた。しかし、彼らは心配そうな様子で愛情たっぷりに、ぼくにあれこれ注意するだろう。それは叱られるよりも悪かった。とりわけ具合の悪いことに、ぼくはそうした場面を夢で見ていないときには、自分から想像してしまうのだった。

いったいどうやって勇気を奮い立たせ、シュミッツさんのところに出かけることができたのか、わからない。道徳的な教育に対する反動がある程度混じっていたのだろうか？　情欲を持って女を見ることが欲望を満たすのと同じく悪いことであり、自分で想像することが想像上の行為と同じく悪いというのなら、満足と行為の両方を選んだってかまわないじゃないか？　ぼくは日々、罪深い考えをやめることができずにいた。それなら罪深い行為もしてしまおう。

もっと別の考えもあった。あそこに出かけていくのは危険なことかもしれない。でも、その危険が現実のものになる可能性はまずないのだった。シュミッツさんはいぶかしそうにぼくを見て、おかしな態度をとってごめんなさいという謝罪の言葉を聞き、それから親切そうにぼくを家に帰らせるだろう。出かけていかないのはもっと危険だった。ぼくが空想から離れられなくなってしまう恐れがあったから。そのようなわけで、ぼくは正しい方を選んだ、つまり出かけていったのだ。彼女はふつうの態度をとるだろうし、ぼくもふつうに振る舞うだろう。そうして何もかも正常になる予定だった。

そんなふうにぼくは理屈をこね、めったにしない道徳的な計算を欲望ゆえに導入し、自分の良心を黙らせたのだった。しかし、そのこともシュミッツさんのところに行く勇気を与えてはくれなかった。母や尊敬する牧師さんや姉だって、よくよく考えればぼくを引きとめることはできない、むしろ彼女のところに行くよう勧めるに違いない、と勝手に考えるのと、実際に彼女のところに行くのとでは大違いだった。どうしてそれをしてしまったのかわからない。いまになってみると、当時のその事件には、ぼくの人生において思考と行動とをかみ合わせる際の、あるいはうまくかみ合わせられない場合のパターンが見て取れる。考え、結論を出し、結論を固めて決断へと導いても、行動の方は独立独歩で、その決断に従うこともできるが、従う義務があるわけではない、ということになるのだ。人生においてぼくはもう充分すぎるほど、決断しなかったことを実行に移してしまい、決断したことを実行に移さなかった。それが何であれ、ぼくの中の本能的衝動が行動してしまう。もう会いたくないと思った女性のもとへ行く。首が飛ぶようなコメントを上司に向かって言う。禁煙しようと決心したのにタバコを吸う。逆に、自分はもうずっと喫煙者のままなんだと悟りを開いた後になってタバコをやめる。思考や決断が行動に何の影響も与えないと言っているのではない。ただ、行動は、それ以前に考え、決断したことをそうたやすく実行に移してくれないのだ。本能的衝動は独自の源を持っていて、独特の方法でぼくの行動を形作っている。ぼくの思考が思考であり、決断が決断であるように。

6

彼女は留守だった。建物の入り口が半開きになっていたので、ぼくは中に入って階段を上がり、呼び鈴を押して、待った。それからもう一度呼び鈴を鳴らしてみた。アパートの中では部屋のドアが開けっ放しになってるのが、玄関のガラス越しに見えた。玄関にある鏡や洋服掛け、時計などが目についた。時計のチクタクいう音も聞こえた。

ぼくは階段に座って、待っていた。ある決断をする際にいまひとつ気分が乗らず、決着をつけるのを不安がっている人間がいるとしたら、その決断を実行に移してみたけれど答えが出なかった場合、ほっとするのかもしれない。でもぼくはほっとしなかった。がっかりしたわけでもなかった。彼女にもう一度会おう、彼女が来るまで待とう、と固く決意していたから。

玄関の時計は、十五分、三十分、一時間と時が過ぎたことを告げた。ぼくは時計が低く秒を刻む音を追い、時計が一回鳴るたびに、次に鳴るまでの九百秒を一緒に数えようとしたが、いつも気が散ってしまうのだった。中庭では、建具屋のノコギリが金切り声をあげていた。建物の中では、どこかの部屋から人声や音楽が聞こえてきたり、ドアが開いたり閉じたりしていた。それから、誰かが等間隔の、ゆっくりとした重たい歩調で階段を上がってくるのが聞こえた。三階に住んでいる人ならいいのに。もし見られてしまったら、ここで何をしていると言えばいいんだろう？　でも足音は三階では停まらなかった。どんどん上にのぼってきた。ぼくは立ち上がった。

　足音の主はシュミッツさんだった。片方の手にはコークスの入ったバケツを、もう一方の手には練炭の入れ物を持っていた。ジャケットとスカートという制服を身につけていて、路面電車の車掌だということがわかった。彼女は階段の踊り場に来るまでぼくに気づかなかった。ぼくを見ても怒ったふうでもなければ、驚いた様子でも、バカにした様子でもない。恐れていたような反応は全然見られなかった。ただ、疲れているように見えた。練炭を置いてジャケットのポケットにある鍵を探していると、硬貨が音を立てて床に落ちた。ぼくはその硬貨を拾って彼女に渡した。

「地下室にまだコークス入れが二つあるのよ。いっぱいにして、持ってきてくれる？　ドアは開いてるから」

　ぼくは階段を駆け下りた。地下に通じるドアは開いたままで、地下室の電気もついていた。地下室への長い階段の下に板張りの部屋があって、扉が開いていた。輪型の錠が閂にぶら下がっている。その部屋は広くて、天井の下の明かり取りの窓のところまでコークスが山になっていた。コークスはその窓から地下に投げ降ろされているのだ。ドアの横には一方に練炭がきちんと積まれ、もう一方にコークスの山があった。

　どこでどう間違えたのかわからない。自分の家でも地下室から石炭を取ってくることはあったし、問題が起きたことはなかった。もっとも、ぼくの家ではコークスはあんなに高く積まれてはいなかったが。最初の入れ物には首尾良く入れられたが、二つ目の入れ物をつかみ、床にあるコークスを拾おうとしたとき、山が動き始めた。小さな塊が大きく、大きな塊が小さく弾んで転がり落ち、下の方では山が崩れ、床ではコークスがごろごろと移動した。黒い埃が舞い上がった。驚いて立ちすくんでいると、次々と塊がぶつかり、ぼくはじきにくるぶしまでコークスに埋まってしまった。

山崩れが収まったとき、ぼくはコークスの中から抜け出し、二つ目の入れ物をいっぱいにした。ほうきを探して見つけだすと、地下室の床に転がったコークスを板囲いの中へ掃き込み、ドアを閉めて二つの入れ物を上へ運んでいった。彼女は上着を脱ぎ、ネクタイをゆるめ、ブラウスの一番上のボタンを外した格好で、グラスに注いだミルクを台所のテーブルに置いて座っていた。ぼくの様子を見ると、最初は声を抑えてくっくっと、それから大声で笑い出した。ぼくを指さし、もう一方の手でテーブルを叩きながら。

「なんて格好なの、坊やったら、なんて格好！」

ぼくも自分の黒い顔を流し台の上の鏡で見、一緒に笑ってしまった。

「こんな格好じゃ帰れないわね。お風呂に入れて、洋服をはたいてあげるわ」

彼女は浴槽のところに行くと、蛇口をひねった。水はざあざあと湯気を立てて浴槽に流れ込んだ。

「気をつけて脱いでね。台所に黒い埃なんてごめんだから」

ぼくはためらい、セーターとシャツだけを脱いでもじもじしていた。お湯はどんどんたまって、もう浴槽いっぱいになりそうだった。

「靴とズボンをはいたままお風呂に入るつもり？　坊や、あたしは見たりなんかしないわよ」

でも、ぼくが水を止め、下着も脱いでしまったとき、彼女は平然とこちらを眺めていた。ぼくは赤くなって浴槽に入り、湯の中に潜った。ぼくが湯から顔を出すと、彼女はぼくが身につけていた物を持ってバルコニーに行っていた。彼女が左右の靴を打ち合わせ、ズボンやセーターをはたいている音が聞こえた。彼女は下にいる人に声をかけ、石炭の埃やおがくずのことで何か言っていた。下からも声が聞こえ、彼女は笑った。台所に戻ると、彼女はぼくの洋服を椅子の上に置き、ちらっとこちらを見た。

「シャンプーを使って髪の毛も洗いなさい。すぐバスタオルを持ってくるから」

彼女は洋服ダンスから何かを取り出すと、台所を出ていった。

ぼくは体を洗った。浴槽の湯が汚くなったので、頭と顔を洗い流すために新しく湯を出した。それから湯の中で体を伸ばし、湯沸かし器がぶーんとうなる音を聞いた。ほんの少し開けられた台所のドアから入ってくる冷たい空気を顔に感じ、体には湯のあたたかみを感じていた。気持ちがよかった。それは人を興奮させる種類の快感で、ぼくの性器は固くなってきた。

彼女が台所に入ってきても、ぼくは顔を上げず、彼女が浴槽の前に立ったときにようやく上を向いた。彼女は両腕いっぱいに大きなタオルを広げていた。

「おいで！」

立ち上がって浴槽から出たとき、ぼくは彼女に背を向けていた。ぼくの頭から足まで、彼女は後ろからタオルですっぽりくるむと、こすって拭いてくれた。それからタオルを床に落とした。

ぼくは動けなかった。彼女がぴったりとそばに寄ってきたので、彼女の胸を背中に、腹を尻に感じた。彼女も裸だった。彼女はぼくの体に腕を回し、一方の手を胸に、もう一方の手を固くなった部分に置いた。

「このために来たんでしょ!」

「ぼくは……」

何と言えばいいのか判らなかった。肯定ではないが、否定でもなかった。ぼくは後ろを向いた。彼女の体はあまり見えなかった。ぼくたちはあまりにもくっついて立っていたのだ。でもぼくは、彼女の裸の体がそこにあるという事実に圧倒されてしまった。

「なんてきれいなんだ!」

「あら、坊や、何言ってるの」

彼女は笑って、ぼくの首に腕を回した。ぼくも彼女を抱いた。ぼくは不安だった。触れあったり、キスをしたりするのが。ぼくが彼女の気に入らず、彼女を満足させられないのが。でも、そうやってしばらく抱き合って、彼女の体の匂いを嗅ぎ、彼女の温もりと力を感じてしまうと、何もかも当たり前になってしまった。両手と口で彼女の体をまさぐり、唇と唇が出会い、しまいに彼女がぼくの上になった。じっと見つめあったまま。とうとうぼくがいきそうになって、目をしっかり閉じ、最初は自分を抑えようとし、でもそのあとで大きく叫んでしまうまで。あまり大きい声なので、彼女は手でぼくの口を塞ぎ、叫ぶのをやめさせたのだった。

7

その夜、ぼくは恋におちた。よく眠れないまま、彼女に焦がれ、彼女の夢を見、彼女がそばにいるような気がしたが、ふと気がつくと枕や掛け布団をかき抱いているのだった。キスしすぎて口が痛かった。繰り返し勃起したけれど、自分で自分を満足させようとは思わなかった。もうオナニーなんてするものかと思った。ぼくは彼女と一緒にいたかったのだ。彼女がぼくと寝てくれたから、彼女に恋してしまったのだろうか？　いまでも、女性と一晩過ごすたびに、ぼくは自分が甘やかされたような気がして、何か償わなければいけないという気持ちになる。その女性に対して、彼女を愛そうと努力することで償うだけでなく、ぼくが向かい合っている世界に対してもお返しをしなければ、と思うのだ。

幼いころの思い出で鮮やかに記憶に残っているものは少ないのだが、そのうちの一つに四歳のときの冬の朝の思い出がある。当時のぼくの寝室は暖房が入っていなくて、夜や朝方にものすごく寒くなることもしょっちゅうだった。暖かい台所と熱いかまどのことを思い出す。かまどは重たい鉄でできていて、鉤でプレートとかまど用の五徳を取り出すと、なかで燃えている火が見えた。かまどにはいつも、ボウルに一杯、熱い湯が沸かしてあった。母はかまどの前に椅子を一つ持っていった。ぼくはその椅子の上に立ち、母がぼくの身体を洗って服を着せてくれた。温もりに包まれた心地よい気分、その温もりの中で洗ってもらったり服を着せてもらう快感が体中に広がっていったのを覚えている。この場面を思い出すたびごとに、どうして母はぼくのことをあんなに甘やかしたんだろう、という疑問が湧いてきたことも覚えている。ぼくは病気だったのだろうか？　兄姉たちはぼくのもらえない何かをもらったのだろうか？　その日、何かぼくがしなければいけない辛いこと、困難なことが予定されていたのだろうか？

それと同じように、ぼくの思考の中でまだ名前を持たないあの女性が、その午後ぼくを甘やかしてくれたので、ぼくは翌日学校に行く決心をした。そのことに加えてぼくには、自分が獲得した男らしさをみんなに見せたい気持ちもあった。自慢したいというのではない。しかし、自分が力に満ちあふれ、人にまさっている気がした。そして、同級生や教師たちの前に、この力と優越性を持って出ていきたい、と思ったのだ。さらに、彼女とそれについて話したわけではなかったが、路面電車の車掌として午後や夜まで仕事をすることも多いのだろう、とぼくは想像した。ずっと家にいて、体力回復のための散歩しかしない生活では、どうやって彼女に毎日会うことができるだろう？

ぼくが彼女のところから戻ってきたとき、両親と兄姉妹はもう夕食の席に着いていた。「なんでこんなに遅くなったんだね？　かあさんが心配していたぞ」

父の声は心配そうというよりは腹立たしそうに響いた。

ぼくは、道に迷ったんだ、記念墓地からモルケンクアまで散歩をするつもりだったのに、どこにも行き着かずにとうとうヌスロッホまで行ってしまったんだ、と説明した。

「お金がなかったから、ヌスロッホから歩いて帰ってこなくちゃいけなかったんだ」

「ヒッチハイクすればよかったのに」

妹はときどきヒッチハイクすることがあったが、両親はそれをよく思っていなかった。

兄はバカにしたように鼻を鳴らした。

「モルケンクアとヌスロッホなんて、全然違う方向じゃないか」

姉も試すような目でぼくを見た。

「ぼく、明日からまた学校へ行くよ」

「じゃあ地理によく気をつけた方がいいな。世の中には南と北があって、太陽が昇るのは……」

兄の言葉を母が遮った。

「お医者さまはまだあと三週間っておっしゃってたわ」

「記念墓地からヌスロッホまで歩いてまた帰って来られたんなら、学校へだって行けるさ。こいつに足りないのは体力じゃなくて脳味噌だよ」

幼かったころ、兄とぼくはしょっちゅう殴り合いをし、大きくなってからは口げんかをした。兄はぼくより三歳年上で、力でも言葉でも勝っていた。いつのころからか、ぼくはやり返すのをあきらめてしまって、兄の血気にはやる攻撃をはぐらかすようになった。それ以来、兄はただぼくにけちをつけるだけになってしまった。

「どう思います?」

母は父の方に向き直った。父はナイフとフォークを皿の上に置くと、椅子の背にもたれ、両手を膝の上で組み合わせた。母から子どものことや家政のことを尋ねられるといつもそうするように、黙りこくって考えこんでいた。ぼくはそんなときいつも、父はほんとうに母の質問について考えているのか、それとも仕事のことでも考えているのだろうか、と自問したものだ。ひょっとしたら父は、母の質問について考えようと試みつつも、一度思考態勢に入ってしまうと、仕事のこと以外考えられなくなってしまうのかもしれなかった。父は哲学の教授で、考えることが生活そのものだった。考えること、読むこと、書くこと、教えること。

ときどき、父にとってぼくたち家族はペットのようなものじゃないかという気がした。一緒に散歩に行く犬、一緒に遊ぶ猫、膝の上でまるくなって、喉をゴロゴロいわせながら撫でてもらう猫……それらは可愛い存在であり得るし、人はある程度ペットを必要としているのかもしれない。それでも、餌を買いに行ったり、猫のトイレを掃除したり、獣医に連れていったりするのは、うんざりするような仕事なのだ。そして、人生そのものはどこか他のところにある。ぼくは、家族が父の人生であればよかったのに、と思っていた。ときには、揚げ足取りばかりする兄や生意気な妹が、もっと違う性格だったらよかったのにとも思った。しかしその晩、ぼくは突然、家族のみんながいとしくてたまらなかった。妹。四人きょうだいの末っ子というのは楽なことではなかっただろうし、あの生意気さがなければ自己主張もできなかっただろう。兄。ぼくたちは部屋を共有していたけれど、それはぼくにとってよりも兄にとって大変なことだったろう。しかも、兄はぼくが病気のあいだ、部屋を完全にぼくに明け渡して、居間のソファーで眠らなければならなかったのだ。揚げ足取りくらいしたって構わないのではないだろうか？　父。どうしてぼくたち子どもが父の人生でなくちゃいけないんだろう？　ぼくたちは育っていって、すぐに成人し、家から出ていくというのに。

まるで、ぼくたち家族がこの円い食卓で、五本のろうそくを立てた真鍮製の五枝のシャンデリアの下に一緒に座るのはもう最後のような気がした。緑の唐草模様のついた古いお皿から食事をするのも最後だし、互いに信頼しきって話をするのも最後だという気がした。まるで別れのときのような気分だった。ぼくはまだそこにいながら、彼方にいた。母や父やきょうだいへの執着に悩みながらも、あの女性のそばにいたいというあこがれにさいなまれていた。

父はぼくの方を見た。

「ぼく、明日からまた学校へ行くよ——そう言ったんだね？」

「うん」

ぼくが父や母に尋ねもせず、ぼくもうそろそろ学校へ行ってもいいんじゃないかと思うんだけど、というようなあいまいな言い方もしなかったことが父の注意を引いたのだった。

父はうなずいた。

「おまえを学校へ行かせてやろう。しんどくなったら、また休めばいいさ」

ぼくはうれしかった。と同時に、ついに家族との別離のときが来た、と思った。

8

それに続く何日かのあいだ、彼女は早番だった。彼女が十二時に家に戻ってくるので、ぼくは来る日も来る日も最後の授業をさぼり、階段の踊り場で彼女を待っていた。ぼくたちはシャワーを浴びて、愛し合った。一時半ちょっと前になると、ぼくは急いで服を着、走って帰った。わが家の昼食は一時半だったから。日曜日には十二時に昼食を食べたが、その日は早番もいつもより遅く始まり、遅く終わるのだった。

ぼくはシャワーなんか浴びなくてもいいと思っていた。彼女は恐ろしくきれい好きで、朝にもちゃんとシャワーを浴びていたし、ぼくは彼女の香水や、仕事帰りの汗や市電の匂いが好きだった。でも、彼女の湿った、石鹼の香りのする体も悪くなかったし、彼女に石鹼で洗ってもらったり、洗ってあげたりするのも好きだった。彼女は、体を洗うときに恥ずかしがる必要はないし、大切な物を手入れするときと同じく、ていねいに洗うのだということを教えてくれた。愛し合うときにも、彼女は当然のようにぼくの体をほしいままにした。彼女の口がぼくの口を塞ぎ、彼女の舌はぼくの舌と戯れた。どこをどうやって触って欲しいのかも指示されたし、彼女がオーガスムに達するまでぼくの上にまたがっているときなどは、ぼくは彼女が感じるためだけにそこにいるに過ぎなかった。彼女が優しくなかったとか、ぼくに感じさせなかったとかいう意味ではない。でも、彼女は自分の遊び心を満足させるためにそんなふうにしていた。ぼく自身が、彼女の体を自由に扱う術を心得るまでは。

そうなったのは後のことだった。ぼくはその技を完全にはマスターしなかった。でも、長いこと習得できずにいたわけでもなかった。ぼくは若かったし、いつもすぐにいってしまった。そのあとまただんだん元気が回復してくると、ぼくは喜んで彼女の好きにさせた。彼女が上になっているとき、ぼくは彼女を見つめていた。へその上で深いしわを刻んでいる彼女の腹や、ほんの少しだけ右側が大きい乳房や、口の開いた顔などを。彼女は両手をぼくの胸の上につき、最後の瞬間にその手を上げて頭を抱えると、すすり泣くような、喉を鳴らすような声を出した。最初にそれを聞いたときはぎょっとしたものだったが、やがてはぼくの方も貪欲にその声を待ち受けるようになった。

そのあと、ぼくたちは疲れ切ってしまった。彼女はよくぼくの上で眠りこんだ。中庭のノコギリの音や、ノコギリを使っている職人たちの、木を切る音をもかき消すほどの大声が聞こえてきた。ノコギリの音が止むと、バーンホーフ通りの雑踏の音が弱々しく台所にまで入り込んできた。子どもたちの呼び声や遊び声が聞こえてくると、学校が引け、一時をまわったのがわかった。隣室に住んでいる人が昼休みに帰宅すると、バルコニーに鳥の餌をまくので、鳩たちが集まってきてくうくう鳴いていた。

「何て名前なの?」

六日目か七日目に、ぼくは彼女に尋ねた。彼女はぼくの上で眠りこんでいて、ちょうど目を覚ましたところだった。ぼくはそれまで「あなた」とか「君」とかいう呼びかけを避けていたのだ。

彼女は飛び起きた。

「何だって？」

「君の名前だよ！」

「どうしてそんなこと知りたいの？」

彼女は不審そうにぼくを見つめた。

「君とぼくは……ぼくは君の名字は知ってるけど、名前を知らないいし。名前が知りたいんだ。それって……」

彼女は笑った。

「ちっとも、坊や、それって、ちっとも変なことじゃないわよ。わたしの名前はハンナ」

彼女は笑い続け、なかなか笑いやまなかったので、その笑いはぼくにまで伝染してきた。

「おかしなふうに見るんだもの」

「わたしはまだ半分寝てたのよ。あんたは何て名前なの？」

彼女はもう知ってるはずだと思っていた。学校の道具をカバンに入れないで、腕に抱えて持ち歩くのがはやっていたし、彼女のところでそうしたものを台所のテーブルに置くと、ノートや教科書に書いてあるぼくの名前が見えたのだ。そうした教科書は、丈夫な紙でカバーし、科目名や自分の名前を書いたラベルを貼るように、と教えられていた。でも、彼女はそんなところに書いてある名前には気をとめていなかったのだ。

「ぼくはミヒャエル・ベルクっていうんだ」

「ミヒャエル、ミヒャエル、ミヒャエル」

彼女はその名前を口のなかで試していた。

「わたしの坊やはミヒャエルという名前で、学生で……」

「まだ生徒だよ」

「生徒で、ええっと、十七歳?」

ぼくは彼女がぼくを二歳上に見てくれたのが誇らしくて、うなずいた。

「十七歳で、大きくなったら、有名な……」

彼女は口ごもった。

「何になりたいのかわからないよ」

「でも熱心に勉強してるじゃない」

「まあね」

ぼくは彼女に、勉強や学校よりも彼女の方が大事だと言った。もっとしょっちゅう彼女のところに来たいんだ、とも。

「どうせぼくは落第だから」

「どこで落第するの?」

彼女は体を起こした。こんなふうにまじめな話をするのは初めてだった。

「ギムナジウムの第六学年で。病気だったんで、何か月も休んじゃったんだ。及第しようと思ったら、バカみたいに勉強しなくちゃいけない。ほんとはいまだって学校にいなくちゃいけないんだ」

ぼくは、自分が学校をさぼっていることを彼女に話した。

「出ていきなさい」

彼女は掛け布団をはねのけた。

「わたしのベッドから出てって。そして、勉強するまでは、もう来ちゃダメよ。勉強がバカみたいだって？　バカ？　あんた、切符を売ったり穴をあけたりすることがどんなことかわかってるの」

彼女は立ち上がり、裸のまま台所で車掌をやって見せた。切符の束が入っている小さなカバンを左手で開け、ゴムキャップをつけた左手の親指で二枚の切符を外し、右手を揺すって手首のところに下がっているハサミの握りをつかむと、二回、切符を切った。

「ロアバッハ行き二枚ですね」

彼女はハサミを放すと、手を伸ばして札を受け取り、腹の前のポーチを開けて札をつっこむと、ぱちんと閉め、外に付けてあるコイン入れからおつりを取り出した。

「まだ切符をお持ちでない方はいらっしゃいますか？」

彼女はぼくを見つめた。

「バカだって？　バカってのがどういうことだか、わかってないのね」

ぼくはベッドの端に腰掛けていた。まるで気が遠くなったみたいだった。

「ごめんなさい。勉強はします。あと六週間で学年が終わっちゃうから、間に合うかどうかわからないけど。とにかくやってみる。でも、もう会えないって言われたら、とてもできないよ。ぼくは……」

君を愛してるから、と最初は言いたかった。でも言えなかった。彼女の言うことが正しいのかもしれない。そう、彼女が正しいのだった。でも、ぼくがもっと学校の勉強をするように要求し、会えるかどうかも勉強の量で決めるという権利は彼女にはないはずだ。

「君に会わないではいられない」

玄関の時計が一時半を打った。

「行かなくちゃいけないわね」

彼女はためらった。

「あしたからは、普通の出勤になるの。五時半まで……それから帰宅するから、あんたも来ていいわ。その前に勉強するならね」

ぼくたちは裸のまま向かい合って立っていた。制服を着ていたとしても、彼女の態度がこれほど拒絶的に思えることはなかっただろう。ぼくには状況がのみこめなかった。彼女にとって問題なのはぼくのことだろうか？　それとも自分のこと？　ぼくの勉強がばかばかしいとしたら、彼女の仕事もばかばかしいということなのか。それが彼女の感情を害したのか？　でもぼくは、自分の勉強がばかばかしいとか、彼女の仕事がばかばかしいなどとは、一言も言っていなかった。

それとも彼女は落ちこぼれの愛人なんていらないのか？　ぼくは彼女の愛人なのだろうか？　ぼくは彼女の何なんだろう？　ぼくは服を着、ぐずぐずしながら、彼女が何か言ってくれるのではないかと期待した。しかし、彼女は何も言わなかった。ぼくが服を着終わっても、彼女はまだ裸で立っていたし、お別れに抱きしめても、反応はなかった。

9

あのころのことを思い出すと、どうしてこんなに悲しくなるのだろう？　過ぎ去ってしまった幸福へのあこがれなのだろうか……そのあとの何週間か、ぼくは本当にバカみたいに勉強し、進級試験に合格し、ハンナと愛し合った。まるで世界中見渡してもそれ以外に価値のあることはないみたいに。そのあとに起こったこと、当時すでにその兆候はあったものの、後になってようやく明るみに出た事柄を知っているために、こんなに悲しいのだろうか？

なぜだろう？　どうして、かつてはすばらしかったできごとが、そこに醜い真実が隠されていたというだけで、回想の中でもずたずたにされてしまうのだろう？　パートナーにずっと愛人がいたのだとわかったとたん、幸せな結婚生活の思い出が苦いものになってしまうのはなぜだろう？　そんな状況のもとで幸せでいるというのは、あり得ないことだからか？　でもたしかに幸せだったのだ！　苦しい結末を迎えてしまうと、思い出もその幸福を忠実には伝えないのか？　幸せというのは、それが永久に続く場合にのみ本物だというのか？　辛い結末に終わった人間関係はすべて辛い体験に分類されてしまうのか？　たとえその辛さを当初意識せず、何も気づいていなかったとしても？　でも、意識せず、認識もできない痛みというのはいったい何なんだろう？

あのころを振り返り、自分の姿を思い浮かべてみる。ぼくは、裕福な伯父の遺品のエレガントなスーツに、何組かの革靴を合わせて履いていた。革靴は、黒と茶、黒と白など二色の組み合わせで、粗い革やなめらかな革で作られていた。ぼくは手足が長かった。母が袖や裾を出してくれたスーツに手足が合わなかったのではなく、動作がぎくしゃくしていた。ぼくの眼鏡はノーブランドの安物で、髪の毛は掃除用モップみたいにぼさぼさだった。あのころは何でもやりたい放題だった。学校の成績は良くも悪くもなく、ぼくが思うに、多くの教師やクラスの中心になっている生徒たちにとって、ぼくは特に目にとまらない存在だっただろう。ぼくは自分の外見が好きではなかった。自分の服装もしぐさも、これまでにやってきたことも、人からの評価も、ぼくの気に入らなかった。でも、どれだけすごいエネルギーや、いつの日かスマートで賢く、他人より優れ、賛嘆される人間になるのだという確信がぼくの中にあったことだろう。どんなに大きな期待があっただろう。ぼくはその期待を抱き続けて、未知の人々や状況に向かっていったのだった。

それが、ぼくの悲しみの原因なのだろうか？　あのころぼくを満たしていた熱意や、約束された人生への信頼が？　でも、その約束はけっして果たされることがなかった。ときおりぼくは、子どもや、ティーンエイジャーたちの表情にも、同じような熱意と信頼を見てとることがある。そんなとき、自分を振り返るのと同じ悲しい気持ちになるのだ。そもそもこれは悲しみなのだろうか？　美しい思い出が回想の中で壊れてしまうとき、ぼくたちを襲う感情なのだろうか？　つまり、回想されたその幸福は、そのときの状況からだけ成り立っていたのではなく、守られることのなかった約束に支えられていた、というわけだ。

彼女は——当時彼女をハンナと呼び始めたように、そろそろここでも彼女をハンナと呼ぶべきだろう——約束によって生きていたのではなく、現実の状況に基づき、自分自身だけを頼りに生きていた。

彼女の生い立ちを尋ねたことがある。それはまるで、ほこりをかぶった長持ちから、答えを探し出して引っぱり出してくるような具合だった。彼女はジーベンビュルゲン〔訳者注・現在はルーマニアになっている地方〕で育ち、十七歳のときベルリンに出てきて、ジーメンスという会社の労働者になり、二十一歳で軍隊に勤めたという。戦争が終わってからは、さまざまな仕事をして生計を立ててきた。二、三年前から市電の車掌になったが、この仕事では制服が着られること、いろいろな動きや風景の変化があること、足の下で車輪が回る感じなどが気に入ったそうだ。それ以外には、この仕事はそれほど好きではない。家族はいない。年は三十六。そんなことを、彼女はそれがあたかも自分の人生ではなく、あまりよく知らない、自分と関係のない人の人生であるかのように話して聞かせた。ぼくがもっと詳しく知りたいと思ったことも、彼女は思い出せないということがよくあった。それに、彼女の両親がどうなったか、きょうだいはいるのか、ベルリンでどんな暮らしをしていたか、軍隊で何をしていたか、などにどうしてぼくが興味を持つのか、彼女は理解できないようだった。

「あんたの何でも知りたがることときたら、坊や！」

将来のこともそんな具合だった。もちろんぼくにも結婚して家族を持つ計画なんてまだなかった。でも、ぼくにはジュリアン・ソレル〔訳者注・スタンダールの『赤と黒』の主人公〕のレナール夫人に対する関係の方が、彼のマチルド・ド・ラ・モールへの関係よりも好もしく思えた。フェーリクス・クルル〔訳者注・トーマス・マンの晩年の作品『詐欺師フェーリクス・クルル』の主人公〕も、最後に娘の腕に抱かれるよりは母の腕に抱かれていて欲しかった。大学でドイツ文学を専攻していたぼくの姉は、食卓で、ゲーテがシュタイン夫人と恋愛関係にあったのかどうかという論争について話したりしたが、そんなときぼくは、「もちろん二人は恋人さ」と語気を強めたりして、家族を呆れさせていた。ぼくは、自分たちの関係が五年後、十年後にはどうなっているだろうか、と想像してみた。どんなふうになってると思う、とハンナに尋ねてもみた。でも彼女は、ぼくが彼女と一緒に自転車旅行に行きたいと思っていた復活祭の休暇のことさえ、考えてみようとしないのだった。そうやって旅行すれば、母と息子という名目で一つの部屋に泊まって、一晩中一緒にいることができるのに。

親子として旅行するという思いつきや提案が自分にとって居心地の悪いものでないというのは、

珍しいことだった。実の母親との旅行なら、ぼくは個室を取りたいとがんばっただろう。医者に行くときや新しいコートを買うときに母について来てもらったり、旅行に行く際に送り迎えしてもらうのは、ぼくの年齢にはもうふさわしくないように思えた。母と一緒に歩いていて同級生に出くわしたりしたときなど、マザコン息子と思われないか不安だった。でも、ぼくの母より十歳若いとはいえ、母親であってもおかしくないような年齢のハンナと歩いているところを見られると考えても、ぼくは気にならなかった。それはぼくを誇らしい気持ちにすらした。

いまでは三十六歳の女性を見ても若いと思うようになった。でも、十五歳の少年は、いまのぼくには子どもとしか思えない。ハンナがどれほどの自信を当時のぼくに与えてくれていたかを思い、あらためて驚くのだ。学校の進級がうまくいったことで、教師たちもぼくに注目し、ぼくは敬意を集めて自信をつけるようになった。ぼくが出会う女の子たちも、ぼくが女性の前でおどおどしていない点を好ましいと思ってくれた。ぼくは、そんな自分を心地よく感じていた。

ハンナとの出会いを明るく浮かび上がらせ、正確に記憶しているぼくの思い出の中で、それに続くあの会話から年度の終わりまでの日々はぼんやりしてしまっている。その理由の一つに、ぼくたちが規則正しく会っていたこと、会うたびに規則正しい営みで時間が過ぎていったこと、が挙げられるだろう。もう一つの理由は、それほどまでに予定の詰まった日々を過ごすのが初めてであり、人生の時間が今までにないほどすばやく流れ、密であった、ということだ。あのころの勉強ぶりを思い出してみると、勉強机に向かったまま、黄疸で休んでいたあいだにさぼってしまった分をすべて取り戻し、すべての語彙を学び、テクストを読み、数学の証明問題を解き、化学結合を導き出すまでは、席を立たなかったといえるほどの熱心さだった。ワイマール共和国と第三帝国の歴史については、すでに病床で勉強していた。

ぼくたちの逢瀬も、記憶の中ではただ一度の長い逢い引きだったように思える。あの話し合い以来、会うのはいつも午後だった。彼女が遅番のときは三時から四時半まで、それ以外のときは五時半から。わが家の夕食は七時で、最初のうちハンナはぼくをせかして、時間通りに家に帰らせようとしていた。しかし、しばらくすると一時間半では時間が足りなくなり、ぼくは口実を作って夕飯を抜くようになった。

それは朗読のせいだった。あの会話をした翌日、ハンナはぼくが学校で何を勉強しているのか、知りたがった。ぼくはホメロスの叙事詩や、キケロの演説、ヘミングウェイが書いた、老人が魚や海を相手に闘う物語のことなどを話した。彼女がギリシャ語やラテン語を聞いてみたいというので、ぼくは『オデュッセイア』や『カティリナへの演説』の一節を読んだ。

「あんたはドイツ語も習ってるの?」

「どういう意味?」

「外国語だけを習ってるのか、それとも母国語でもなにか習うのかってことよ」

「ぼくたちは、テクストを読んでるんだ」

ぼくが病気のあいだに、授業では『エミーリア・ガロッティ』〔訳者注・レッシングが書いた悲劇〕と『たくらみと恋』〔訳者注・シラーが書いた悲劇〕が読まれ、それについてレポートを書くことになっていた。そういうわけでぼくもこの二作を読まなければならず、ほかの科目の勉強を終えてからそれにとりかかったのだった。ところが夜も遅い時間に読み始め、すっかり疲れていたので、次の日には読んだところを忘れてしまい、また読み直さなければならない始末だった。

「読んでみて！」

「自分で読みなよ。持ってきてあげるから」

「あんたはとってもいい声をしてるじゃないの、坊や、あたしは自分で読むよりあんたが読むのを聞きたいわ」

「声がいいかどうかなんてわからないよ」

ところが、ぼくが翌日やってきてキスしようとすると、彼女は身を引いた。

「まず本を読んでくれなくちゃ」

彼女は真剣だった。ぼくは彼女がぼくにシャワーを浴びさせてベッドに入れてくれるまで、三十分間『エミーリア・ガロッティ』を朗読しなければならなかった。そんなときはさすがに、シャワーを浴びられるのがうれしかった。彼女の家に着いたときに体内にうずいていた欲望も、朗読とともに吹き飛んでしまったからだ。そうした戯曲を、異なった登場人物を区別しつつ、生き生きとした調子で読むには、いささかの集中力が必要だった。シャワーを浴びていると、また欲望が戻ってくる。朗読し、シャワーを浴び、愛し合い、それからまだしばらく一緒に横になる……それが、ぼくたちの逢い引きの式次第になった。

彼女は注意深い聴き手だった。彼女の笑い声や、軽蔑したように鼻を鳴らす音、怒りや同意を示す叫び声を聞けば、彼女が緊張して筋を追っているのがわかったし、彼女がエミーリアやルイーゼを愚かな小娘だと思っている様子も伝わってきた。彼女はときには待ちきれないように、先を読めと促したが、そこには、主人公たちの愚かさにいずれは終止符が打たれるのではないかという彼女の期待が表れていた。

「そんなことがあっていいはずないわ！」

ときには、ぼく自身も是非先を読みたい気分になった。日が長くなってくると、ぼくはたそがれどきにベッドに入れるように、朗読時間を延長した。彼女がぼくの上で眠りこみ、中庭のノコギリの音も止み、ツグミが鳴き、台所にある物の色が溶けあって明暗のある灰色に包まれるとき、ぼくは完璧に幸せな気持ちだった。

10

復活祭の休暇の初日、ぼくは四時に起きた。ハンナが早番の日だった。彼女は四時十五分に自転車で市電の車庫へ行き、四時半のシュヴェッツィンゲン行きに乗務することになっていた。行きの電車は空席だらけだと、彼女から聞いていた。シュヴェッツィンゲンからの戻りで、やっと乗客がいっぱいになるらしかった。

ぼくは二番目の停留所から乗り込んだ。二番目の車両は空で、一つ目の車両ではハンナが運転手のところに立っていた。ぼくは前の車両に乗るべきか後ろの車両に乗るべきかで迷ったが、結局後ろに乗ることにした。後ろに乗った方がプライヴェートな空間を確保でき、抱きしめあったり、キスすることも可能だと思ったからだ。でもハンナは来なかった。ぼくが停留所に立っていて、乗り込んだのを見たはずなのに。電車だってぼくがいたから停まったのだ。でも彼女は運転手のそばにいて、しゃべったりふざけたりしているのが、ぼくのいる席から見えた。

市電は次々に停留所を通過していった。電車を待っている人は誰もいなかった。道は空っぽだった。太陽はまだ出ていなくて、白い空の下の青ざめた光のもとで、すべてがうすぼんやりしていた。家も、駐車中の車も、若葉の出てきた木々も、花咲く茂みも、ガスタンクも、遠くの山並みも。市電はゆっくりと走った。おそらく走行時間と停車時間が時刻表で決まっていて、停車しない分、走行時間を引き延ばさなければいけなかったのだろう。ぼくはゆっくり走る電車の中に閉じこめられていた。最初は座っていたが、それから車両の前方のデッキに立って、ハンナの注意を引こうとした。彼女は背中にぼくの視線を感じたに違いない。しばらくして振り返ると、ぼくをじっと見つめた。そしてまた、運転手と話し始めた。市電はどんどん進んでいった。エッペルハイム以降は電車は道路の上の線路ではなく、道路の脇の、砂利を固めた車道の上を走るようになった。電車は前よりもスピードを上げ、規則正しく揺れながら走った。この線路がさらにいくつもの町を通ってシュヴェッツィンゲンまで続いていることをぼくは知っていた。ぼくは、人間が暮らし、働き、愛し合っている普通の世界から、排除され追放されてしまった気分だった。空っぽの車両の中で目的もなく終わりもない旅をすべく、運命づけられてしまったような。

畑の中に屋根つきの停留所があるのが見えてきた。ぼくは、車掌が運転手に停車や発車の合図をするときに引く紐を引っ張った。電車は停まった。ハンナも運転手も、ベルを鳴らしたぼくの方を振り返ろうともしなかった。電車から降りたとき、なんだか二人が笑いながらこっちを見ているような気がした。でも、よくわからない。市電は発車し、ぼくはその姿が窪地に下り、そのあと丘の向こうに回って見えなくなるまで見送った。ぼくは車道と道路のあいだに立っていた。あたり一面は畑で、果樹があり、遠くに温室のある園芸会社が見えた。空気はさわやかだった。鳥のさえずりがあたりを満たしていた。山の向こうで、白い空がバラ色に輝いていた。

市電への乗車は悪夢のようだった。そのあとに起こったことをこれほどはっきり記憶していなければ、ほんとに悪夢を見ただけだと思っただろう。停留所に立って鳥の声を聞き、日の出を見ていると、自分が覚醒していくようだった。しかし、目が覚めれば悪夢から覚めてほっとするというのは必ずしも当たらない。どんな恐ろしいことを夢見たか、いや、さらに言えば、どんな恐ろしい真実に夢の中で出会ったか、目が覚めて初めて認識することにもなり得るからだ。ぼくは家に帰る道を歩いていった。涙がぼろぼろ流れ続け、エッペルハイムに着くまで止まらなかった。

ぼくは家まで歩いていった。何回か、ヒッチハイクをしようと試みたが無駄だった。道の半ばまで歩いたとき、市電がそばを通り過ぎた。満員だった。ハンナは見えなかった。ぼくは十二時に、階段の踊り場で彼女を待った。悲しみにくれ、不安げに、腹も立てながら。

「また学校さぼってるの?」

「休みなんだ。今朝はどうしたの?」

彼女は鍵を開け、ぼくもあとについて入り、台所まで行った。

「今朝何がどうしたって?」

「どうしてぼくを無視したの? ぼくは……」

「無視したって?」

彼女は振り向き、冷たくぼくの顔を見つめた。

「あんたの方こそ知らんぷりしたんじゃないの。あたしが前の車両にいるのに、わざわざ後ろに乗って」

「どうしてぼくが休暇の最初の日の四時半にシュヴェッツィンゲン行きに乗ったと思う? ただ君を驚かしたかったからだよ。喜んでくれると思ったんだ。後ろに乗ったわけは……」

「お気の毒に。朝の四時半に起きるなんて、それも休みの日にねえ」

そんなに皮肉っぽい言葉を彼女から聞くのは初めてだった。彼女は頭を振った。

「なんであんたがシュヴェッツィンゲンに行くのか、あたしにわかるわけないじゃないの。どうしてあたしを無視するのかもわからないわ。それはあんたの用事で、あたしの用事じゃない。もう帰る?」

自分がどれほど憤慨したか、ぼくには表現できない。

「それはフェアじゃないよ、ハンナ。ぼくが君だけのために乗ったんだってことは、知ってたはず、わかったはずだよ。どうしてぼくが君を無視したなんて言えるの？　君を無視しようなんて思ったら、最初から乗らないはずだよ」

「あら、ほっといてよ。あんたがやることはあんたの用事で、あたしの用事じゃないって言ったでしょ」

彼女は机を挟んでぼくと向かい合う位置に立っていた。彼女のまなざしも、声も、身ぶりも、ぼくを侵入者として扱っていて、ぼくに出て行けと指図していた。

ぼくはソファーの上に座った。彼女が今朝ぼくに不当な態度をとったので、説明を求めたつもりだった。でも、彼女に近づけるどころか、逆に攻撃されてしまった。ぼくは不安になってきた。ひょっとしたら彼女が正しいのだろうか、客観的にではなく、主観的な意味で？　ぼくを誤解するようなことでもあったのだろうか？　誤解せずにはいられなかった？　ぼくはそんなつもりはないのに、彼女を傷つけたのだろうか？　ぼくの意に反して。でもとにかく傷つけてしまったのか？

「悪かったね、ハンナ。全部が悪い方向に動いちゃったんだ。君を侮辱するなんて気はなかったんだけど、どうやら……」

「どうやら、だって？　どうやらあんたがあたしを侮辱したみたいだって言うの？　侮辱されてたまるもんですか、あんたなんかに。そろそろ出てってくれる？　あたしは仕事してきたんだから、お風呂に入ってゆっくりしたいのよ」

彼女は挑発的にぼくをにらんだ。ぼくが立ち上がると、彼女は肩をすくめ、向こうを向いて湯船に水を入れると、洋服を脱いだ。

ぼくは立ち上がって出ていった。もう二度とここには来ないだろうと思った。でも、三十分後にぼくはまたドアの前に立っていた。彼女はぼくを入れてくれた。ぼくは、全部自分が悪かったのだ、と言った。考えも思いやりもなく、愛のない行動をとってしまった、と。君が侮辱されたのもわかる。いや、君はぼくなんかには侮辱され得ない存在だよね。でも、ぼくの態度が嫌だったんだろ。そう、ちょっと傷ついちゃったのよ、と彼女が打ち明けてくれたとき、ぼくはまた幸せな気分になった。やっぱり彼女だって、外見ほど平然としていたわけでも、冷淡なわけでもなかったのだ。

「許してくれる?」

彼女はうなずいた。

「ぼくのこと好き?」

彼女はまたうなずいた。

「湯船にはまだお湯があるわ。おいで、お風呂に入れてあげるから」

あとになってから、ぼくは自問したものだった、彼女はぼくが戻ってくるのを知っていて、風呂の湯を入れっぱなしにしていたのか、と。彼女が服を脱いだのは、その姿がぼくの目に焼きついて、また戻ってくるだろうと思ったからか。彼女はぼくとの力関係で上位に立ちたかっただけなのか。愛し合ったあと、寄り添って休んでいるときに、ぼくはどうして一両目ではなく二両目の車両に乗ったかを彼女に話した。彼女はぼくをからかった。

「市電の中でまでわたしとやりたかったのね、坊やったら！」

まるでぼくたちの喧嘩のきっかけは、ごくたわいのないことだったというように。でも、この喧嘩の結果には意味があった。ぼくは喧嘩に負けただけではなかった。ほんの短い争いのあとで、彼女がぼくを拒み、ぼくから身を引くと脅したとき、ぼくはすぐに降参してしまったのだ。その後はもう、短い喧嘩でさえ二度とする気になれなかった。彼女が脅しでもすると、ぼくはすぐに無条件降伏した。何でも自分のせいにした。自分が犯してもいない過ちを認めたり、一度も思い浮かべたことのない目論見まで告白してしまったり。彼女が冷たく、厳しくすると、ぼくは、もう一度優しくしてほしい、ぼくを許して愛してほしい、と懇願した。ときには、彼女自身が自分の冷めた感情、固くなった心のことで苦しんでいるのではないか、という気がした。だから、ぼくに詫びさせたり、請け合わせたり、誓わせたりして、心を暖めようとしているのだろうか。ときには、彼女がぼくに対して勝ち誇っているような気もした。でも、どちらにせよぼくに選択の余地はなかったのだ。

それについて彼女と話すことはできなかった。ぼくたちの喧嘩について話せば、また喧嘩になるだけだった。一度か二度、ぼくは彼女に長い手紙を書いた。でもそれに対する反応はなく、どう思ったかと尋ねると、彼女は次のように答えるのだった。

「あんたったら、またその話？」

11

復活祭休暇の最初の日に喧嘩したあと、ハンナとぼくがもう幸せでなかったというつもりはない。四月のあの日々ほど幸せだったことはなかった。ぼくたちの最初の喧嘩や、そもそも喧嘩になってしまったということはさておくとして、本を朗読し、シャワーを浴び、愛し合い、一緒に横になるというぼくたちの儀式が始まってしまえば、すべては心地よくなった。おまけに彼女の方は、ぼくが彼女に対して知らんぷりをしたと非難したことで、かえって言質をとられたかたちになった。ぼくが彼女と一緒に外出したがった場合、彼女は反対できなくなってしまった。「じゃあやっぱりぼくと一緒にいるのを見られたくないんだね」などと言われるのが嫌だったから。そんなわけでぼくたちは復活祭の次の週、自転車で四日間、ヴィムプフェンやアモルバッハ、ミルテンベルクに出かけることができた。

両親にどう説明したのだったか、もう覚えていない。友だちのマティアスと出かけることにしたのだろうか？　グループで行くと言ったのか？　昔の同級生を訪ねることにしたのか？　おそらく母はいつものように心配したのだろうし、父はいつものように、心配する必要はない、と母に言ったのだろう。あの子は、誰も信じてなかった進級をやってのけたところじゃないか、と。

病気だったとき、ぼくはお小遣いをまったく使わなかった。でも、ハンナの分の旅費も出そうと思ったら、それでは足りない。ぼくは自分の切手コレクションを、聖霊教会のそばの切手屋に売りに行った。それは、切手買います、とドアのところに表示してある唯一の店だった。店員はぼくのアルバムに目を通して、六十マルクの値を付けた。ぼくは自分が持っている一番豪華な切手を見てくれるようアピールした。それは、ミシン目のついていないエジプトの切手で、ピラミッドの絵柄、カタログでは四百マルクになっていた。彼は肩をすくめた。そんなに自分のコレクションに愛着があるのなら、手許に置いた方がいいんじゃないの。だいたい、切手を売ったりしていいのかい？　ご両親はなんと言ったの？　ぼくは駆け引きを試みた。ピラミッドの切手にそれほど価値がないのだったら、それだけは手許に置いておきます。すると彼は、残りの切手では三十マルクにしかならないと言った。じゃあピラミッドの切手にはやっぱり価値があるの？　最終的にぼくが受け取ったのは七十マルクだった。なんだかだまされたような気がしたけれど、どうでもよかった。

ぼくだけが旅行熱に浮かされていたわけではなかった。驚いたことに、ハンナまで旅行の何日か前から落ちつかなくなった。なにを持っていくかで頭を悩ませ、ぼくが買ってあげたサドルバッグとリュックサックを何度も詰め替えていた。ぼくが地図を広げて自分の考えたルートを説明しようとしても、なにも聞きたがらず、見たがらなかった。

「いまは興奮しちゃってるからダメよ。あんたの考えたとおりでいいわよ、坊や」

復活祭の翌日に、ぼくたちは出発した。太陽が輝き、四日間、快晴が続いた。朝はさわやかで、日中は暖かくなったが、サイクリングが苦痛になるほどの暑さでもなく、ピクニックをするのにはちょうどいい気温だった。森は緑のじゅうたんのようで、黄緑や薄緑、瓶のように透明な緑や青緑、深緑などの色の変化があちこちに点々と見られた。ライン河畔では果樹が今年一番の花をつけていた。オーデンヴァルトでは、ちょうどレンギョウが開花していた。

ぼくたちはしばしば、並んで走ることができた。そうやって走りながら互いの見たものを示しあった。城、釣り人、川に浮かぶ船、テント、岸辺を前後一列になって歩いていく家族連れ、アメリカ製の高級オープンカー。方向や道を変えるときには、ぼくが先導しなければいけなかった。彼女は方向や道のことで悩むのをいやがったから。交通量の多いときには、彼女が後になったり、ぼくが後になったりしながら走った。彼女は車軸とチェーンとギアにメタルカバーのついたタイプの自転車に乗っており、青いワンピースを着ていた。ワンピースの広い裾は、走るときの風にはたはたとなびいている。ぼくは最初のうち、スカートが車軸かギアに巻き込まれて彼女が倒れるのではないかとハラハラしていた。でも、心配ないとわかると、前を走っていく彼女の姿を見て楽しんだ。

ぼくはどんなに夜を楽しみにしていただろう。愛し合って、眠りこんで、目が覚めて、また愛し合って、眠って、目を覚ます、ということを夜ごとくり返すのだと思っていた。でも、夜中に目が覚めたのは最初の夜だけだった。彼女はぼくに背を向けて寝ていたので、ぼくは彼女の上にかがみ込んでキスした。彼女は仰向けになるとぼくを受け入れ、両腕で抱きしめてくれた。

「坊や、わたしの坊や」

そのあとぼくは彼女の上で眠りこんでしまった。残りの晩は、ぼくたちは二人ともぐっすり朝まで眠った。サイクリングで疲れ、日光や風に当たって疲れていた。ぼくたちは朝になってからセックスした。

ハンナは方向や道の選択をぼくに任せただけではない。自分たちが泊まる宿もぼくが探し、宿帳に母子と記載し、ハンナはそれにサインするだけだった。レストランのメニューを見るときも、ぼくは自分の分だけではなく、ハンナの分まで選んだ。

「なんにも気にしないでいられるのがいいのよ」

アモルバッハでたった一度だけ喧嘩をした。ぼくは早く目が覚めたので、静かに服を着て、部屋を出ていった。朝食を運んできたいと思ったし、もう開いている花屋があれば、ハンナにバラを一本買ってあげようと思ったのだ。ナイトテーブルの上にメモを残しておいた。

「おはよう！　朝食を取りに行って、すぐ戻ってくるよ」

そんな文面だった。ぼくが戻ってくると、彼女は部屋の中に突っ立ち、服を半分着た状態で、怒りに震え、顔面蒼白になっていた。

「なんで黙って行っちゃうのよ！」

ぼくは朝食とバラの載ったお盆を置いて、彼女を抱きしめようとした。

「ハンナ……」

「触らないで」

彼女はドレス用の細い革ベルトを手に持っていて、一歩下がるとぼくの顔をベルトで殴った。

身構えた。

唇が裂け、血の味がした。痛くはなかったが、それよりもぼくはぎょっとした。彼女はもう一度

だが、再びぼくを打とうとはしなかった。彼女は腕を下ろし、ベルトを落とすと泣き始めた。彼女が泣くのを見るのは初めてだった。彼女の顔はぐちゃぐちゃになった。大きく開いた目と口、最初の涙のあとでまぶたは腫れ上がり、頰や首には赤いシミができた。彼女の口からは、ぼくたちが愛し合っているときに出る音のない叫びのような、しわがれた、喉を絞るような音が出てきた。彼女は突っ立ち、涙越しにぼくを見つめていた。

彼女を抱きしめてあげるべきだったのだろう。でも、できなかった。何をしたらいいか、わからなかった。ぼくの家にはそんな泣き方をする人はいなかった。殴られることだってなかった。手で殴ることもなかったし、まして革ベルトで殴るなんてことは。うちでは話をするだけだった。でも、そのときのぼくはなんて言えばよかったんだろう?

彼女は二歩ぼくの方に進むと、ぼくの胸に身を投げ、拳骨でぼくをたたきながら、しがみついてきた。今度はぼくも彼女を支えることができた。彼女は肩を震わせ、額をぼくの胸に打ちつけていた。それから深くため息をつくと、ぼくの腕にもぐり込んだ。

「朝ごはんにしましょうか?」

彼女はぼくから離れた。

「おやまあ、坊や、なんて顔だこと!」

彼女はハンカチを濡らすとぼくの口と顎を拭った。

「シャツまで血だらけだわ」

彼女はぼくのシャツとズボンを脱がせ、自分も服を脱いだ。ぼくたちは愛し合った。

「いったいどうしたの？　どうしてあんなに怒ってたの？」

ぼくたちは寄り添って寝そべり、満たされた気持ちだった。だから、きっと彼女はすべてを説明してくれるだろうと思ったのだ。

「どうしたのって……なんてバカな質問かしら。あんなふうに黙って出て行っちゃいけないわ」

「だけどメモを置いていったよ」

「メモ？」

ぼくはベッドの上に座った。ナイトテーブルの上に、メモは見あたらなかった。ぼくは立ち上がってナイトテーブルの横や下、ベッドの下やベッドの中まで探した。でもメモはなかった。

「どうしてだかわからないや。朝食を取りに行って、すぐ戻ってくるからって、メモに書いておいたんだよ」

「見つかった？　わたしにはメモは見えないけど」

「ぼくの言うことを信じないの？」

「信じたいけど、メモはないじゃないの」

ぼくたちはそれ以上争わなかった。風が吹き込んで、メモを吹きさらって飛ばしてしまったのか？　すべてが誤解だったのだろうか、彼女の怒りも、ぼくの裂けた唇も、彼女の赤くなった顔も、ぼくのお手上げ状態も？　もっと探すべきだったのだろうか、メモを、ハンナの怒りの原因を、ぼくがなすすべもなくなってしまった原因を？

「なにか朗読してよ、坊や！」

彼女はぼくにしなだれかかった。ぼくはアイヒェンドルフの『のらくら者日記』を手にとって、前回中断したところの続きを読んだ。『のらくら者日記』を読むのは、『エミーリア・ガロッティ』や『たくらみと恋』よりも楽だった。ハンナは今回も気持ちを集中させて興味たっぷりに聞き入っていた。彼女はところどころにちりばめられた詩が好きだった。彼女は、イタリアで主人公を巻き込む変装や、取り違えや、いざこざや待ち伏せなどがお気に入りだった。それと同時に彼女は、主人公がのらくら者で、何もせず、何もできず、何かできるようになろうともしないのを悪く思っていた。彼女は千々に思い乱れ、ぼくが朗読を止めてから何時間か経ったあとでも、その作品についての質問をしたりするのだった。

「取税人って……いい職業じゃなかったの？」

またもやぼくたちの喧嘩について詳細に報告してしまったが、ぼくたちの幸福についても話したいと思う。喧嘩はぼくたちのお互いに対する関係をより内面的にした。ぼくはハンナが泣くのを見たわけだし、泣くハンナに対しては、ただ強いだけのハンナよりも親近感が持てた。彼女は、ぼくがそれまで知らなかった優しい面も見せ始めた。彼女はぼくの裂けた唇を、治るまでくり返しチェックし、優しくさわった。

ぼくたちの愛し方も前とは変わった。長いことぼくは彼女のリードに任せ、ぼくの体を彼女のほしいままにさせていた。それからぼくは、彼女の体をほしいままにすることを覚えた。でも、ぼくたちの旅行中、そしてそれ以降は、互いに相手をただ好きなように利用する愛し方ではなくなった。

ぼくがあの当時書いた詩がある。詩としては大したものではない。当時ぼくはリルケやベンの大ファンで、この詩を見ても、ぼくが両詩人をいっぺんに模倣しようとしていたことがわかる。ただ同時に、当時のぼくたちがどんなに親密だったか、ということもこの詩から読みとれるのだ。ここに、その詩を記そう。

ぼくたちが互いに開きあうとき
君がぼくにぼくが君に
ぼくたちが沈み込むとき
君がぼくの中にぼくが君の中に
ぼくたちが消え去るとき
君がぼくの中でぼくが君の中で

そうすると
ぼくがぼくになり
君が君になる

12

ハンナと旅行に行くにあたって両親にどんな嘘をついたのだったか、もう思い出せないのだが、その一方で、休暇の最後の週に一人で家にいられるようにするため、ぼくが払った代価というのは、よく覚えている。ぼくの両親と兄姉がどこに旅行に行ったのかは忘れた。問題は妹だった。彼女はある友人の家に預けられる手はずになっていた。しかし妹は、もしぼくが家に残るのだったら、自分も家にいたいと言い出した。しかし、それは両親の望むところではなかったので、その場合にはぼくも別の友人の家に泊まらなければいけなかった。

いま振り返ってみると、両親がぼくのような十五歳の子どもに一人で一週間留守番させようと考えたというのは、かなり注目すべきことのように思える。ハンナとの出会いによってぼくの中に芽生えていた自立心に気づいていたのだろうか？　それとも、ぼくが何か月も続いた病気にもかかわらず進級を成し遂げたことに目に留め、そのことから、ぼくがいままでよりも責任を自覚し、信頼に値する人間になった、と判断したのだろうか？　ぼくは当時、何時間も家に帰らずハンナと過ごしていたのに、そのことで釈明を求められた記憶がない。両親はどうやら、ぼくがまた元気になって、友だちと長時間一緒に過ごし、みんなと勉強したり自由時間を楽しんだりしたいのだと解釈したらしい。そのうえ四人という子どもの数はかなり多かったから、両親の注意も全員には届かず、ちょうどいま問題を抱えている子どもの方に集中していた。ぼくはもう充分長く心配をかけたわけだし、両親はぼくの体が回復し、次の学年に進めたことでほっとしていた。

ぼくが家にいるあいだ友人の家に泊まってくれるお礼に何が欲しいかい、と妹に尋ねると、彼女はジーンズ——当時ぼくたちはブルージーンズとかジーパンとか言ったものだ——と、トレーナー、それもコーデュロイのトレーナーを要求した。ぼくにはよく理解できた。ジーンズは当時はまだ特別なもの、おしゃれなもので、それはなんといっても、貧相なスーツや大きな花模様がついたワンピースからの解放を意味していた。ぼくが伯父からのお下がりを着ていたように、妹も姉のお古を着せられる身だったのだ。ともあれ、ぼくには金がなかった。

「じゃあ、かっぱらって来てよ!」

妹は落ち着きはらってこちらを見た。

それは呆れるほど簡単だった。ぼくはいろいろなサイズのジーンズを試着し、妹のサイズのものも何本か試着室に持ち込むと、それをだぶだぶのスーツの下で腹に巻き付けて店を出た。トレーナーの方は「カウフホーフ」という大型店で盗んだ。ある日、妹とぼくはその店の洋服コーナーを、気に入りの売場、気に入りのトレーナーを見つけるまで、あちこち歩き回った。翌日ぼくは急ぎ足で決然とそのコーナーを通り抜け、トレーナーをつかむとスーツの上着の下に隠して外に出た。その次の日には、ハンナのために絹のネグリジェを盗んだが、警備員に見つかり、命がけで走ってどうにかこうにか逃げることができた。その後ぼくは何年間も「カウフホーフ」に足を踏み入れなかった。

旅先で一緒に夜を過ごして以来、ぼくは毎晩、ハンナが横にいてくれたらいいのに、と思っていた。彼女の尻にぼくの腹を、彼女の背中に胸をこすりつけ、手を彼女の乳房にのせることができたら。夜中に目が覚めたら彼女を腕で探し、片方の足を彼女の足の上にひっかけ、顔を彼女の肩に押しつけたい。一週間家で留守番することは、ハンナと七晩を共にすることを意味した。

そのうちの一晩、ぼくは彼女をうちに招待し、彼女のために食事を作った。ぼくが最後の仕上げにかかっているとき、彼女は台所に立っていた。ぼくが料理を運ぶときには、食堂と居間のあいだの両開きのドアのところに立っていた。それから、円い食卓の、いつもなら父が座る席に座った。彼女はあたりを見回していた。

彼女の視線はそこにあるものを一つ一つかすめていった。プチブル的な家具、グランドピアノ、箱形の大時計、絵、本が置かれた棚、テーブルの上の食器やフォーク類など。デザートを作るために席を外して戻ってくると、彼女はもう食卓にいなかった。彼女は部屋から部屋へと見て回り、ぼくの父の仕事部屋にいた。ぼくはドアの脇の柱に静かにもたれて、彼女を見ていた。彼女は、壁を埋めつくした本棚の上に、まるでそれが一つのテクストでもあるかのように目を走らせていた。それから一つの棚に歩み寄ると、胸の高さにある本の背を右の人差し指でゆっくりたどっていき、次の棚に行くとまたその指で一冊一冊本の背をたどっていった。そうやって部屋を一周すると窓辺で立ち止まり、外の暗がりと、ガラスに映った本棚や自分の姿を見つめていた。

それは、ぼくの記憶に焼きついているハンナの姿の一つでもある。ぼくは彼女の姿を記憶の貯蔵庫に保管し、心のスクリーンに映し出して、変わりもせず、使い古されてもいないそれらの映像を眺めることができる。ときには、ずっと彼女を思い出さないでいることもある。でも、彼女の姿が再びぼくの意識の中に浮かんできて、心のスクリーンに何枚も映し出され、ぼくがそれを眺めずにはいられないようなときがあるのだ。そのうちの一コマは、台所で靴下をはいているあのハンナ。もう一コマは、湯船の前に立って、両手でバスタオルを広げているハンナ。自転車に乗って、スカートを風になびかせているハンナ。それから、父の書斎にいるときのハンナの姿。彼女は、当時シャツドレスと呼ばれていた、青と白の縞模様のワンピースを着ていた。それを着ると若く見えた。彼女は指で本の背をなぞり、窓をのぞき込んでいる。それからぼくの方に振り向くが、それがあまりにすばやいので、スカートが一瞬足のまわりで弧を描き、それからまた水平になる。彼女のまなざしは疲れている。

「その本は、ただ読むだけなの、それともおとうさんが書いたの?」

ぼくは父が書いた、カントについての本とヘーゲルについての本を知っていた。ぼくはその二冊を見つけだして、ハンナに見せた。

「その本を少し読んでちょうだい。嫌なの、坊や?」

「ぼく……」

ぼくは読みたくなかった。でも、彼女の願いを拒むこともできなかった。ぼくはカントについての父の著書を手に取り、分析論と弁証法についての一節を読んだが、それは彼女にもぼくにもちんぷんかんぷんだった。

「これでいい？」

彼女は何もかも理解できたかのように、あるいは、何を理解し、何を理解しないかはそれほど重要なことでないかのように、ぼくを見た。

「あんたもいつかこんな本を書くの？」

ぼくは首を横に振った。

「もっと別の本を書くの？」

「わからないよ」

「お芝居を書くの？」

「わからないってば、ハンナ」

彼女はうなずいた。それからぼくたちはデザートを食べ、彼女の家に行った。ぼくはできれば自分のベッドで彼女と寝たかったが、彼女はそうしたがらなかった。ぼくの家で、彼女は侵入者のように感じていた。彼女はそれを口に出しては言わなかったが、彼女が台所や開いた扉のところに立っていた様子、部屋から部屋へと歩いて行き、父の書斎をぐるりと見て回ったり、ぼくと一緒に食卓についていた様子から、そう感じているのがわかった。

ぼくはハンナに絹のネグリジェをプレゼントした。それは茄子紺色で、細い肩紐がついていて、肩も腕もむき出しになるデザイン、長さはくるぶしまであり、光沢のある素材だった。ハンナは喜び、笑い声をあげ、顔を輝かせた。ネグリジェを着た自分の体を見おろし、くるりと回り、ダンスのステップを踏み、鏡を見、しばし自分の姿に見とれると、また踊り回った。そんなハンナの姿も、ぼくの記憶の貯蔵庫に残っている。

13

ぼくは年度の初めをいつも一つの区切りと感じてきた。ギムナジウムの六年生から七年生への進級は、とりわけ大きな区切りとなる変化をもたらした。クラス替えがあり、ぼくたちは三つのクラスに分けられた。進級試験に受からなかった生徒がかなりいたので、小さいクラスが四つあったぼくたちの学年は、三つの大きいクラスに統合されたのだった。ぼくが通っていたギムナジウムは、長いこと男子校だった。共学に変わって女子の受け入れが始まったとき、最初は数がとても少なかったので、全クラスに分散させるかわりに、一クラスに集め、クラスの三分の一程度の数になってから二クラスに分け、そこで三分の一程度に増えると次には三つのクラスに分けていった。ぼくたちの学年には、全クラスが共学になれるほどたくさんの女子はいなかった。ぼくは六年のとき四組だったが、それは純粋な男子クラスだった。そのため、ぼくたちのクラスは四組として存続せず、ばらばらにされ、他のクラスにばらまかれることになった。

新年度が始まった段階でようやくぼくたちはそのことを聞いた。校長先生はぼくたちを一つの教室に集め、ぼくたちが分けられることを伝え、クラス分けを発表した。ぼくは同級生になった六人の生徒とともに、人気のない廊下を歩いて新しい教室まで行った。空いていた席を割り当てられ、ぼくの席は前から二列目になった。一人ずつの机だったが、二人ずつ机を並べて縦三列になっていた。ぼくは真ん中の列で、ぼくの左側には前のクラスでも一緒だったルドルフ・バルゲンが座っていた。重量級の、おとなしく信頼できるチェス愛好家で、ホッケーの選手でもあった。前のクラスではぼくはほとんど彼と関わりを持たなかったが、新しいクラスではまもなくいい友人同士になった。ぼくの右側には、通路を隔てて女の子たちが座っていた。ぼくの隣はゾフィーだった。茶色い髪に茶色い目、夏らしく日に焼けて、むき出しの腕には金色の産毛が生えていた。ぼくが席についてあたりを見回したとき、彼女はぼくにほほえみかけてきた。

ぼくも彼女にほほえみ返した。いい気分だった。新しいクラスの始まりや、女の子たちとの出会いが楽しみになってきた。ぼくはそれまで第六学年で一緒だった同級生たちを観察してきたが、彼らは共学クラスであろうとなかろうと、女子に対して不安を感じており、彼女たちを避け、女子の前ではやたら見栄を張るか、やたら卑屈になるかのどちらかだった。一方、ぼくは女性とのつきあい方を心得ていたから、落ちついて、彼女たちと対等に振る舞うことができたし、女子生徒たちもぼくのそんな態度に好感を持った。だからぼくは、新しいクラスでも女子とうまくやっていけるだろうし、そのことで男子生徒にも受け入れられるだろう、と思ったのだ。

だれにでもそんなことがあるのだろうか？　若いころのぼくは、いつも自信過剰か、自信がなさすぎるかのどちらかだった。自分がまったくのダメ人間で、貧相で価値のない奴に思えてくるか、あるいは、何をやっても成功し、これからもあらゆる点でうまくいくような気がするか。確信を持っているときには、非常な困難も乗り越えることができた。しかし、ちょっとした破綻が起これば、それはぼくに自分の無価値さを納得させるに充分だった。確信を取り戻したからといって、それはけっしてなにかに成功した結果とはいえなかった。ぼくが成し遂げたいと思っていることや、他人から認められたいという目標の前では、どんな成功もみじめっぽくかすんでしまったから。そのみじめさを痛感するか、それとも成功によってプライドをくすぐられるかは、ぼくの気分次第だった。ハンナといるときには何週間も調子が良かった——ぼくたちの喧嘩や、彼女がしょっちゅうぼくをはねつけたり、ぼくに屈辱的な思いをさせていたにもかかわらず。そして、新しいクラスでの夏も、そんなふうに調子よく始まったのだった。

教室での光景が目に浮かぶ。右前方にドアがあり、右側の壁には洋服を掛けるフックのついた木の板が打ちつけてあった。左側には窓がいくつもあって、ハイリゲン山が見えたし、休憩時間に窓のところにたたずめば、下の通りや、川や、対岸の牧草地が見えた。教室の前には黒板があり、一段高くなっている教壇の上に、地図や図表を掛ける台と、教卓と椅子が置いてあった。壁は、頭の高さくらいまで黄色い油性塗料が塗ってあり、その上は白く塗られていて、天井からは二つの球形の電灯がぶら下がっていた。その部屋には何ひとつよけいなものがなく、絵も、植物も、余分な椅子も、忘れ物の本やノートを入れたり色チョークを入れたりする棚もなかった。ぼんやりとあたりを眺めようとすると、視線は窓の外に向かうか、こっそりと隣席の女生徒や男子生徒を盗み見るのだった。ゾフィーはぼくが彼女を見ているのに気づくと、いつもぼくの方を向き、ほほえみかけてきた。

「ベルク、ゾフィーというのがギリシャ語源の名前だからといって、ギリシャ語の授業中に隣の女の子を観察する理由にはならないぞ。訳してごらん！」

ぼくたちは当時『オデュッセイア』を訳していた。ぼくはこの物語をドイツ語で読み、大変気に入っていたし、いまでも大好きだ。自分の番が来れば、気を取り直してテクストを翻訳するのに、ほんの二、三秒しかかからなかった。教師がぼくをゾフィーのことでからかったためにクラスのみんなが笑い、その笑い声が止んだとき、ぼくがどもったのは、からかわれたからではない。『オデュッセイア』に出てくるナウシカ、姿かたちにおいては神々にも似た乙女で白い腕の女性――ぼくは訳しながらハンナとゾフィーのどちらを思い浮かべるべきだったのだろうか？　それは、二人のうちのどちらかでなければならなかった。

14

飛行機のエンジンが故障しても、それがただちに飛行の終わりというわけではない。飛行機は石が落ちるような落ち方はしないものだ。いくつものエンジンを備えたジャンボジェット機の場合、まだ三十分か四十分間、滑空することになる。そして、着陸の試みに失敗し、大破する。乗客はなにも気づかない。エンジンが止まっても、動いているときとそんなに感じは変わらない。静かに、ただほんの少し静かになるだけだ。エンジンよりは、むしろ機体や翼に当たる風の音の方がうるさいものだから。ふと窓の外を見ると、陸地や海が恐ろしいまでに近くに迫っていたりする。あるいは、映画が上映され、乗務員たちが窓のブラインドを下ろしてしまうのかもしれない。ひょっとしたら乗客たちは、いつもより静かな飛行を、特別心地よく感じるのかもしれない。

その夏、ぼくたちの愛は滑空飛行をしていた。いや、むしろハンナへのぼくの愛というべきか。ぼくに対する彼女の愛については、何もわからないのだから。

ぼくたちは、朗読し、シャワーを浴び、愛し合い、寄り添って昼寝するという儀式を相変わらず続けていた。ぼくは『戦争と平和』を、歴史や偉人、ロシア、愛や結婚についてのトルストイの考察も省かずに朗読した。四十時間から五十時間かかったと思う。今度もハンナは緊張して物語の続きに耳を傾けた。しかし、彼女の態度はこれまでと違っていた。彼女は自分の判断を差し挟むのを控え、ルイーゼやエミーリアを自分の世界の一部にしていたようにナターシャやアンドレイ、ピエールらを自分に引きつけることはなかった。むしろハンナは彼らの世界に入り込んでいったが、それはまるで、感嘆しながら遠くの国々を旅行する人、あるいはどこかの城に足を踏み入れる人のような態度だった。彼女はその城に入れてもらい、しばらくとどまり、中がどうなっているかを知るけれども、最初に感じた物怖じを忘れることはできないのだ。それまでに彼女に朗読した作品は、すでにぼくが知っているものばかりだった。しかし、『戦争と平和』を読むのはぼくにとっても初めてだった。ぼくたちは遠い国への旅行を一緒にしたわけだ。

ぼくたちはお互いにいろいろな愛称を考えあった。彼女はぼくを坊やと呼ぶだけではなく、さまざまな限定詞や縮小語を使って、カエル、ヒキガエル、子犬、砂利っこ、バラ、などと呼び始めた。ぼくがハンナという呼び方を続けていたら、あるとき彼女が尋ねた。

「あたしを抱いてるときに目を閉じて何か動物の姿を思い浮かべるとしたら、どんな動物?」

ぼくは目を閉じて動物のことを考えた。ぼくたちは互いに絡み合って横になっていて、ぼくの頭は彼女の首、ぼくの首は彼女の胸にくっついていた。右腕はぐるりと彼女の背中に回し、左腕は彼女の尻の上にある。ぼくは腕と手で彼女の広い背中やかたい太股、しっかりした尻をなで、彼女の胸と腹をぴったりとぼくの首や胸に感じた。彼女の肌はすべすべで柔らかく、その肌に包まれた体は力強くて頼もしい。手で彼女のふくらはぎに触ったとき、筋肉がぴくぴく動いているのを発見した。それは、馬がハエを追い払おうとするときの馬の皮膚のぴくぴくした動きを思い出させた。

「馬だね」

「馬？」

彼女はぼくから離れ、体を起こすとぎょっとしたように、ぼくを見つめた。

「気に入らないの？　きみの肌がとっても気持ちいいから、そう思ったんだよ。すべすべで柔らかくて、でもその下はしっかりと強くて。それに、きみのふくらはぎが震えてるから」

ぼくは彼女に自分の連想を説明した。彼女は自分のふくらはぎの筋肉の動きを眺めた。

「馬ねえ」

彼女は頭を横に振った。

「わからないわ……」

彼女らしくない態度だった。普段なら彼女はとてもはっきりしていて、同意するかはねつけるかのどちらかだったのに。彼女がぎょっとした目をしたとき、ぼくはすでに、必要ならばすべて取り消そう、自分が悪かったと言って許しを乞おう、と心の準備をしていたが、結局、彼女に馬のイメージを受け入れさせようと試みることになった。

「サラブレッドとか、駿馬とか、ポニーとか愛馬と呼んだっていいよ。馬といったって、ぼくは馬の口だとか馬面だとか、君の気に障るようなことを考えている訳じゃなくて、何かいいもの、温かく、柔らかく、強いもののことを考えているんだ。君はウサギや猫なんかじゃないし、虎でもない……虎だと、君にはない何か邪悪なものまで持っていそうだしね」

彼女は仰向けに寝て、頭の後ろで腕を組んでいた。今度はぼくが体を起こして彼女を見つめた。彼女の目は虚空を見ていた。しばらくして彼女はぼくの方に顔を向けた。その表情には独特の切実さがあふれていた。

「ううん、あんたがあたしをお馬さんと呼んだり、馬に関係ある別の名前で呼ぶのもいいと思うわ。どういう意味の名前か、説明してくれる？」

また別のとき、ぼくたちは隣町の劇場まで一緒に行って、『たくらみと恋』を観た。ハンナは劇場に行くのが初めてで、演《だ》し物も幕間のシャンペンも、何もかも楽しんでいた。ぼくは彼女の腰に手を回し、人々がぼくらをどのようなカップルとみなしたって平気だと考えていた。平気な自分が誇らしかった。でも同時に、これがぼくたちの地元の劇場だったら、たぶん平然としてはいられなかっただろうな、ということも自覚していた。ハンナにもそれはわかっただろうか？

彼女は、夏のあいだのぼくの生活がもはや彼女と学校と勉強だけのあいだを回っているのではないことを知っていた。午後の遅い時間に彼女のところに行くときには、ぼくはしばしばプールから直行するようになった。同級生たちはプールに集まり、プールサイドで宿題をやり、サッカーやバレーボールやトランプをして遊び、ふざけあった。クラスの社交生活はプールサイドで繰り広げられ、その場にいること、そこに属していることがぼくにとっては重要だった。ハンナの仕事時間によってぼくがプールに来るのが遅くなったり、みんなより早く帰らなければいけなかったりしたけれど、それはぼくの評判を傷つけるどころか、ぼくに対するみんなの興味をかき立てることがわかった。プールサイドにいなくても何も失うわけでないのはわかっていたが、それでもしばしば、ちょうどぼくがいないときにすごいことが起こるのではないか、という感情に襲われた。プールにいる方がいいのかハンナのところにいたいのか、長いあいだどっちつかずの気持ちでいた。七月にぼくが誕生日を迎えたとき、仲間たちはプールサイドで祝ってくれた。そして、ぼくが行かなければいけない時刻になると残念がった。一方ハンナはその日、疲れていて不機嫌なままぼくを迎えた。彼女はぼくの誕生日を知らなかったのだ。ぼくが彼女に誕生日を尋ねたとき、彼女は十月二十一日だと答えたが、ぼくの誕生日は訊いてくれなかった。どっちみち、疲れているときにはいつも不機嫌で、その日が特別というわけではなかった。でもぼくは彼女の不機嫌に腹が立ち、ここから出ていってプールに戻りたい、同級生たちのいる場所、しゃべったりふざけたり遊んだりじゃれあったりするあの気楽な世界に帰りたい、と思ってしまった。ぼくの方も不機嫌な反応をして喧嘩になり、ハンナはぼくを空気のように無視した。彼女を失うのではないかという不安がわき起こってきて、ぼくはまた我を折り、彼女がぼくを受け入れてくれるまで謝った。でも、心の中は恨みでいっぱいだったのだ。

15

それからぼくは、彼女を裏切り始めた。

秘密を漏らしたとか、ハンナを笑いものにしたという意味ではない。黙っておくべきことについては、ぼくはなにひとつ漏らさなかった。それよりも、みんなに打ち明けるべきことを黙っていたのだ。ハンナの存在をだれにも知らせなかった。黙殺というのは、数ある裏切りのヴァリエーションの中では、あまり目立たないかもしれない。外から見るかぎり、黙殺なのか謙遜なのか、配慮しているのか、気まずさや立腹を避けているだけなのかわからないだろう。しかし、黙り続けている当人は、はっきりとその理由を知っている。そして、この黙殺行為は、派手な裏切りと同じくらい、二人の関係の基礎を揺るがすものなのだ。

ハンナの存在を最初に否定したのはいつだったか、もう思い出せない。夏の午後をプールサイドで過ごしているうちに、ぼくたちの友情は育っていった。前にも同じクラスだった隣の席の少年のほかに、新しいクラスではホルガー・シュリューターがぼくの気に入った。彼はぼくと同じく歴史と文学に興味を持っており、つき合ううちにすぐ気の合う仲間になった。彼はすぐにゾフィーとも親しくなった。彼女はぼくの家からすぐのところに住んでいたので、ぼくはプールに行くときも彼女と一緒になった。最初のころぼくは、友人たちとの信頼関係はまだそれほど大きくないから、ハンナのことは話せないと感じていた。その後、友人たちと親しくなりはしたが、ぼくにはハンナのことを話す適切なタイミング、適切な言葉が見つからなかった。そして結局、他の少年っぽい秘密にまじえてハンナのことを話すには、時機を失してしまった。いまになってハンナのことを話すのはかえって印象が悪いだろう、とぼくは考えた。ぼくたちの関係が正しくないから、ぼくに良心の呵責があるから、こんなに長いあいだ話せないでいるんだ、とも。でも、どんなに自分をごまかそうとしても、大切なことはすべて話しているふりをしながらハンナのことだけは友人たちに隠し続けている自分が、結局ハンナを裏切っているのだ、ということはちゃんとわかっていた。

ぼくがオープンでないことに友人たちも気づいていたが、それは事態の改善にはつながらなかった。ある晩、ゾフィーとぼくは帰り道に雷雨にあい、当時はまだ大学の建物もなくって畑と家庭菜園ばかりだったノイエンハイマーで、ガーデニング用の小屋の軒下に雨宿りした。稲妻が光り、雷がとどろいた。暴風雨になり、重い大粒の雨が降ってきた。それと同時に気温が五度くらい低くなった。寒くなってきて、ぼくは彼女の体に腕を回した。

「あのね……」

彼女はぼくの方を見ず、雨を見つめていた。

「なんだい？」

「あなたは長いあいだ病気で、黄疸だったんでしょ。それでまだ悩んでるの？ もう二度と健康になれないって不安なの？　お医者さんに何か言われたの？　それで毎日病院に行って、血液を交換したり点滴しなくちゃいけないの？」

ハンナのところへ行くのを病院通いと思われていたわけか。ぼくは恥ずかしくなった。でもハンナのことを話すなんてできなかった。

「違うよ、ゾフィー。ぼくはもう病気じゃないんだ。ぼくの肝臓の検査結果は正常だし、一年たてばアルコールだって飲めるようになるんだよ。ぼくが望みさえすればね。でもぼくは飲みたくないな。ぼくを……」

ハンナに関することを、ぼくは口にできなかった。ぼくを悩ませているのは何なのか、ということは。「どうしてぼくが遅く来たり早く帰ったりするかは、別の理由なんだよ」

「その理由は話したくないの、それとも、話したいけどどう言っていいかわからないの？」

ぼくは話したくないのだろうか、それともどう言っていいかわからないのだろうか？　自分でもわからなかった。でもそうやって明るく光る稲妻を見、近くで鳴っている雷を聞きながら、降り注ぐ雨の中で一緒に凍え、互いにほんの少し暖め合っていると、彼女には、彼女にこそはハンナのことを話さなくてはいけないような気がしてきた。

「そのことについてはいつか話せるかもしれないよ」

でも、その機会は訪れなかった。

16

ハンナが非番で、ぼくと一緒でないときに何をしているのか、一度も聞かせてもらったことがなかった。ぼくが尋ねても、彼女は質問に答えなかった。ぼくたちは共通の世界に生きているのではなくて、彼女が自分の世界の中で与えたいと思う場所をぼくに分けてくれているだけだった。ぼくはそれで満足しなければいけなかった。より多くを望んだり、より多くを知ろうとすることは、分不相応というわけだった。ぼくたちがとりわけ幸福感に浸っているときや、いまなら訊いてもいいだろうと思って何かを質問するときには、彼女がその質問をはねつけるのではなく、はぐらかすということもあった。

「あんたの何でも知りたがることときたら、坊や!」

あるいは、彼女はぼくの手を取って自分の腹に押し当てた。

「ここに穴が開いてもいいの?」

あるいは、指折り数えて見せた。

「洗濯して、アイロンかけて、掃き掃除して、床を拭いて、買い物して、料理して、プラムの木を揺すって、実を拾って、家に持って帰ってすぐに煮てしまわないと。でないとおチビさんが」

彼女は左手の小指を右手の親指と人差し指のあいだに突っ込んだ。「そうしないと虫さんが全部一人で食べちゃうからね」

彼女にばったり出くわすこともなかった。道でも、店でも、映画館でも。彼女は映画に行くのは好きだし、しょっちゅう行くと言っていた。ぼくもつき合いだして最初の二、三か月間、彼女をしきりに映画に誘ってみたが、彼女は来たがらなかった。ときには、二人とも見たことのある映画について話し合うこともあった。彼女は奇妙なほど選り好みせずに何でも見ていた。ドイツの戦争映画や郷土映画から、西部劇、ヌーベルヴァーグまで。ぼくの方はハリウッド映画が大好きだった。舞台がローマであろうと西部であろうと。ぼくたち二人とも気に入っていた西部劇があった、その中ではリチャード・ウィドマークが保安官の役を演じていた。翌朝、勝ち目のない決闘をすることになっていた彼は、夜、ドロシー・マーロンの家のドアをノックする。彼女は彼に、逃げるよう勧めてくれていたのだが、彼はそれを拒んだのだ。彼女がドアを開ける。

「いま、何が望みなの？　たった一晩で人生のすべてを？」

ハンナはぼくが欲望で一杯になって彼女のところに来たときなどに、からかって言ったものだった。

「いま、何が望みなの？　たった一時間で人生のすべてを？」

約束もしていないのにハンナを見かけたのは、たった一度だけだ。それは七月の終わりか八月の初めで、夏休みももう終わるころだった。ハンナは何日も前から妙な雰囲気で、気まぐれで威圧的なだけでなく、こちらにもわかるほどプレッシャーを受けていて、非常に苦しみ、敏感で傷つきやすくなっていた。プレッシャーのもとで爆発してしまわないように、自分の意識を集中させ、自制しなければいけないというように。なんで苦しんでいるの、というぼくの質問に、彼女はそっけない態度で答えた。とてもいただけない態度だった。それでもぼくには、彼女の拒絶だけでなく、彼女自身が困惑している様子も感じられたので、彼女のそばにいてあげつつそっとしておこうと努力した。するとある日、彼女はまたさっぱりした感じになっていた。最初は、彼女が元通りになったと思った。ぼくたちは『戦争と平和』を読み終えたあと、すぐに新しい本を読み始めることはしないでいた。でもぼくは新しい本を選んでくる約束はしていて、ちょうど何冊か候補を持ってきていた。

でも、彼女は選びたがらなかった。「あんたをお風呂に入れる方がいいわ、坊や」

台所に足を踏み入れたとき、重たい織物のようにぼくの上にのしかかってきたのは、夏の蒸し暑さではなかった。ハンナが風呂のボイラーに点火したのだ。湯を入れ、ラベンダーの香水を数滴垂らすと、彼女はぼくを洗ってくれた。薄青色の花柄エプロン——彼女はその下に何も着ていなかった——は、湿った暑い空気のなかで汗ばんだ彼女の体に張りついていた。その姿はぼくを興奮させた。セックスしていると、ぼくには彼女が、ぼくをこれまで感じたものの彼方にまで連れていこうとしているように思えた。もうこらえられないほどの快感の世界にまで。彼女の献身ぶりもこれまでにないものだった。無限に、というわけではない。彼女は自分の限界をけっして示そうとしなかった。ただ、その日の愛し方は、まるでぼくと一緒に溺れていこうとするかのようだった。

「さあ、友だちのところに行きなさい」

彼女に送りだされて、ぼくは出ていった。暑気が家々のあいだに陣取り、畑や庭園の上に漂い、アスファルトの上でゆらゆら揺れていた。ぼくはぼうっとしていた。プールでは、遊んだり水をばしゃばしゃいわせている子どもたちの叫び声が、遥か彼方の物音のように耳に届いた。ぼくはうろうろ歩き回っていた。世界がぼくの一部ではなく、ぼくも世界の一部ではないかのように。カルキの臭いのする濁った水の中に潜ると、ずっとこのまま水の中にいてもいいような気がした。他の子どもたちと一緒にプールサイドに寝そべり、彼らのおしゃべりに耳を傾けたが、彼らの話している内容は滑稽で意味のないことに思えた。

そんな気分もいつのまにか消えていった。気がつけばまたプールでのいつもの午後となり、ぼくたちは宿題やバレーボールやおしゃべりやふざけっこをしているのだった。目を上げて彼女を見つけたとき、自分がちょうど何をしていたのか、ぼくには思い出せない。

彼女は二十メートルか三十メートル先に立っていた。短パンをはき、胸の開いた、ウエストで紐を結ぶタイプのブラウスを着て、ぼくの方を眺めていた。ぼくも彼女を見つめ返した。離れていて顔の表情は読めなかった。飛び上がって彼女のところに駆けていくことはしなかった。さまざまな疑念が頭をよぎった。どうしてプールに来たんだろう。ぼくに見てほしいのか、ぼくと一緒にいるところを見られたいのか。ぼくは彼女といるところを見られたいだろうか。まだ一度も偶然に出くわしたことはなかったのに。ぼくはどうしたらいいんだろう。それからぼくは立ち上がった。でも、ぼくが視線をそらしたほんのちょっとのあいだに、彼女は行ってしまっていた。

短パンと紐つきのブラウスで、表情の見えない顔をぼくに向けているハンナ——これも、ぼくの脳裏に残っているハンナの姿の一つだ。

17

翌日、彼女は姿を消した。ぼくはいつもと同じ時間に来て、ベルを鳴らした。ドアから透けて見える中の様子はいつもと変わらず、時計のチクタクいう音が聞こえた。ぼくはまた階段に座った。ここに来始めたころは、彼女の電車に乗ろうとか、迎えに行こうとか思わないまでも、彼女がどの路線の電車に乗っているかぐらいは、いつも把握していたものだった。でもいつのまにか、路線のことを訊くのをやめてしまったし、関心もなくなってしまっていたことに、いまようやく気がついた。

ヴィルヘルム広場の電話ボックスから、ぼくは市電の会社に電話してみた。あちこちの部署に回されたあとで、ハンナ・シュミッツはきょうは仕事に来ていない、と言われた。ぼくはバーンホーフ通りに戻り、中庭の建具屋でアパートの持ち主を尋ね、名前と、キルヒハイム町の住所を教えられた。ぼくはそこに出かけて行った。

「シュミッツさん？　彼女ならきょう引っ越しましたよ」

「家具はどうするんですか？」

「あれはシュミッツさんの家具じゃないのよ」

「あの人はいつからあそこに住んでたんですか？」

「それがあんたとなんの関係があるの？」

ドアの窓越しにぼくと話していた女性は、窓を閉めてしまった。

市電の会社の管理棟で、ぼくはあちこちで質問した末に、人事課にたどり着いた。そこの担当者は親切で、面倒見がよかった。

「彼女は今朝、ちゃんと代理が立てられる時間に電話してきてね、もう来ないと言ったんだよ。もう二度と来ないって」

彼は頭を振った。

「ほんの二週間前、彼女はあんたが座っているその椅子に座っていたんだよ。わたしは彼女に、運転士の資格を取らせてあげよう、と提案したんだが、彼女は何もかも放り出してしまった」

何日も過ぎてから、ぼくは役所の住民課へ行くことを思いついた。彼女はハンブルクへの転出を届け出ていたが、転出先の住所は書いていなかった。

何日間も、ぼくは気分が悪かった。両親やきょうだいたちに何も気づかれないよう、気を配った。食卓ではみんなと少し話をし、少し食べ、吐きたくなったらなんとかトイレまで歩いていった。学校へ行き、プールへも行った。プールでぼくはみんなから離れた場所で午後を過ごし、みんなもぼくを誘わなかった。ぼくの体がハンナを恋しがっていた。でも、体の焦がれよりも罪の意識の方がもっとひどかった。どうして彼女があそこに立っていたとき、ぼくはすぐ飛び上がって走っていかなかったんだろう！　ハンナの存在を明かそうとしない最近のぼくの心なさが、そうした小さな場面の中で積み重なっていったのだった。罰として、彼女は姿を消してしまった。

ときおりぼくは、プールで見かけたのは彼女ではなかったんじゃないか、と自分に言い聞かせようとした。顔もはっきりと見分けられなかったのに、どうして彼女だと確信できるんだ？　仮に彼女だったとしても、顔を見分ける必要があったのか？　あれが彼女ではなかったと確信することもできないのだろうか？

でもぼくには、彼女だったことがわかっていた。彼女は立って見ていた——そして、もう手遅れだった。

II

I

ハンナが町を去ってからも、ぼくはしばらくのあいだ、彼女を見かけはしまいかといたるところ探し回った。彼女のいない午後に慣れ、朗読に適しているかどうか吟味しないで本を見たり開いたりするようになるまで、時間がかかった。ぼくの体が彼女に焦がれなくなるのにも、時が必要だった。ときどき、就寝中に自分の腕と足が彼女の体を探しているのに気づいた。兄は何度も、ぼくが寝言で「ハンナ」と叫んだという話を食卓で披露した。学校の授業中にも、彼女のことだけを夢見、考えていたことがあったのを思い出す。最初の何週間かぼくを苦しめていた罪の意識は、やがて消えていった。ぼくは彼女が住んでいた家を避け、別の道を通るようになった。そして半年後、ぼくの家族は別の地区に引っ越した。ハンナを忘れたわけではない。でもいつのまにか、彼女の思い出はぼくにつきまとうのをやめた。思い出は遠のいていった。列車が走り去るとき、町が遠景に退くように。町はまだ後方にあり、人は出かけていってその町の存在を確かめることもできる。しかし、なんのためにわざわざ出かけていく必要があろう?

ギムナジウムでの最後の日々、そして大学で学び始めたころのことは、幸せな歳月としてぼくの記憶に残っている。と同時に、そのころについてはほとんど語れるような思い出がない。苦労のない時代だった。高校卒業試験と、困惑の末に選んだ法学という専攻は、むずかしいものではなかった。友情も、恋愛も、別れも、何もかもが簡単だった。すべてが簡単に思え、すべてが軽かった。だから、思い出の量もこんなに小さいのかもしれない。それとも、ぼくが小さいと思ってるだけなのだろうか? そもそも幸福な思い出というのがあたってるのかどうか、ぼくは自問する。じっくり考えてみれば、恥ずかしい状況や苦しいできごとがたくさんよみがえってくるし、ぼくがハンナとの思い出に別れを告げたものの、けっしてそれを清算したわけではないこともわかる。ハンナとのことがあったあとでは、もう誰からも屈辱的な目に遭わせられたり、遭わせたり、誰かに罪を押しつけたり、罪の意識に苦しんだり、その人を失うことが痛みとなるほどまでに人を愛したりはしなくなった。その当時、はっきりとそう考えていたわけではないが、そうした決然とした感じがぼくの中にあったのだ。

ぼくは高慢で優越的な態度を身につけ、自分が何物にも動かされず、揺るがされず、混乱させられない人間であるかのように振る舞った。ぼくは何事にも首を突っ込まなかった。ぼくのそんな自己演出を見抜き、それについてぼくと話そうとした先生がいたことを思い出す。でもぼくはその先生を無愛想にはねつけてしまった。ゾフィーのことも思い出す。ハンナが町を去ってまもなく、ゾフィーは結核と診断された。彼女は療養所で三年間を過ごし、ぼくが大学生になったばかりのころに戻ってきた。彼女は孤独で、昔の友だちとの再会を求めていたので、ぼくは難なく彼女の心に入り込むことができた。しかしベッドを共にしたあと、彼女はぼくがほんとうは彼女を求めていないことに気づき、涙ながらに言ったものだ。

「あなたはどうなってしまったの？」

祖父を最後に見舞ったとき、ぼくを祝福してくれようとしたことを思い出す。そんな祖父に対してぼくは、祝福なんて信じていないし、何の価値もないと思う、と告げた。当時、そんな振る舞いをしたあとで、ぼくがいい気分になったとは考えにくい。そのほかにも、愛に満ちた思いやりを示すちょっとしたしぐさを目の当たりにするたびに、それがぼくに対するものであろうと他の人に向けられたものであろうと、喉に塊がつかえるような気分になったことを思い出す。ときには映画の中の一シーンを見るだけでそんな気分になった。この、そっけなさと繊細さが共存する態度というのは、自分でもうさんくさいものだった。

2

ぼくは法廷でハンナと再会した。それは、強制収容所をめぐる最初の裁判でもなかったし、大きい事件でもなかった。その当時、ナチス時代とそれに関連する裁判を研究していた数少ない教授の一人が、その事件をゼミで取り上げたのだ。ゼミの学生たちに手伝わせてその裁判の成りゆきを追い、評価しようというのが教授の目論見だった。彼が審査し、確認し、反論しようとしていたテーマが何だったのか、もう思い出せない。思い出せるのは、ゼミの中で、過去の行為をさかのぼって罰することを禁止すべきかどうか討論したことだ。収容所の看守や獄卒たちが裁かれる根拠となっている条項が、彼らの犯罪行為が行われた当時すでに刑法に記載されているということで充分なのか、それともその条項が犯罪の起こされた時点でどのように解釈され、適用されていたかということが重要なのか？　当時は収容所職員の行動が刑法に照らされることなどなかった点を重視すべきなのか？　法律とは何だろう？　法律書に載っていることが法なのか、それとも社会で実際に行われ、遵守されていることが法なのか？　それとも、本に載っていようといまいと、すべて正しいことが行われる場合に実施され遵守されていることが法なのか？　教授はナチ時代に亡命も経験している老紳士で、ドイツの法曹界ではアウトサイダーであり続けた人だった。教授はゼミでの討論に、該博な知識を披瀝しつつ参加していたが、同時に、知識だけでは問題を解決できないということをわきまえて、議論に距離をおいているようなところもあった。「被告人たちをご覧なさい……当時の自分は人を殺してもよかったんだ、と本気で考えているような人はいないものですよ」

それは冬学期のゼミで、裁判は年が明けたころに始まり、何週間も続いた。法廷が開かれるのは月曜から木曜までで、教授はこの四日間のそれぞれを学生のグループに割り当てて、裁判でのやりとりをすべて記録に取らせた。金曜日にゼミが開かれ、その週の経過が再検討された。

再検討！　過去の再検討！　そのゼミの学生であったぼくたちは、自分たちを再検討のパイオニアとみなしていた。ぼくたちは窓を開け放ち、空気を、風を、教室に入れた。社会が悲惨な過去の上に積もらせた埃を、その風がようやく巻き上げてくれるのだ。ゆっくりと呼吸し、見ることができるよう、ぼくたちは気を配った。ぼくたちも、法律的な知識の豊富さに頼ってはいなかった。その案件が裁かれなければいけないのは明らかだった。看守や獄卒だけが矢面に立って裁かれればいいのではない、ということもぼくたちにははっきりしていた。看守や獄卒たちを利用し、彼らの行いを妨げることもせず、一九四五年以降、彼らを追放しようと思えばできたのにそれもしなかった世代そのものが裁かれているのだった。そして、ぼくたちは再検討と啓蒙の作業の中で、その世代を恥辱の刑に処したのだった。

ぼくたちの親の世代は、ナチスの第三帝国の中で、非常に異なった役割を演じていた。かなりの学生の父親が、戦場に行っていた。その中には国防軍の将校だった人も二、三いたほか、親衛隊の将校が一人おり、法曹界や行政の分野でキャリアを積んでいた人も何人かいた。教師や医者だった人もいたし、ある学生の伯父は、帝国内務省の高官だった。親たちに質問して得られた答えは、まったくさまざまな内容だったはずだ。ぼくの父は自分のことを語りたがらなかった。しかしぼくは、大学の哲学の講師だった父が、スピノザについての講義をすると予告したことで職を奪われ、戦争中はハイキング用の地図や本などの編集をすることでなんとか家族を養ったのだということを知っている。どうしてぼくに父を辱めることなどできただろうか。しかし、ぼくはそれをしてしまった。ぼくたちはみな両親を断罪したが、その罪状は一九四五年以降も犯罪者を自分たちのもとにとどめておいた、ということだった。

そのゼミの学生たちのあいだには、強い仲間意識が芽生えていった。強制収容所ゼミの学生——最初は他の学生たちがぼくたちのことをそう呼び、まもなくぼくたち自身もそう言うようになった。ぼくたちのやっていることに、他の学生は興味を持たなかった。そのテーマに対しては他の多くの学生が違和感を持ち、まさに反感を感じてしまう者もいた。いまとなっては、悲惨な過去を自覚し、他の人々にも認識させようとするぼくたちのあまりの熱心さが、事実多くの人の反発を招いたのだろうとぼくにも思えてくる。ぼくたちが見聞する事件が悲惨であればあるほど、ぼくたちは啓蒙的・告発的使命を確信するようになっていった。思わず息をのむような事件であっても——ぼくたちは勝ち誇ってそれを振りかざしたものだ。ほら、こっちを見ろよ! と。

ぼくは単なる好奇心でそのゼミに登録したのだった。それは、購買権や正犯・共犯の問題、ザクセン法鑑や古代の法哲学などとは違うテーマだったから。自分が身につけていた高慢で優越ぶった態度を、ぼくはゼミにも持ち込んだ。しかし、冬が過ぎていくあいだに、ぼくは次第に部外者ではいられなくなった——ぼくたちが読んだり聞いたりしている事件に対しても、そのゼミの学生たちをとらえた熱意に対しても。最初は、学問的・道徳的な熱意だけを彼らと分かち合うのだと思っていた。でも、もっと多くのもの、共通の熱意を持ちたいと思うようになった。ゼミの学生たちは相変わらずぼくのことをもったいぶった傲慢な男と思っていたかもしれない。ぼく自身は冬のあいだ、自分もみんなの仲間であり、自分自身とも折り合いがつき、自分がやっていることや一緒に活動している人々のことも、はっきりわかっているような快感に浸っていた。

3

公判は車で一時間足らずのところにある町で開かれていた。その町に用事で出かけたことは、それまでなかった。一人の学生がぼくたちを車に乗せてくれた。彼はそこの出身で、町の地理もよくわかっていたのだ。

木曜日だった。公判は月曜日に始まっていた。最初の三日間は、弁護側の裁判官忌避申請に費やされていた。四番目のグループであるぼくたちは、被告人の尋問を聞くことで、公判の事実上の始まりを体験することになった。

満開の果樹の下、ぼくたちは山あいの道路を飛ばしていった。ぼくたちはうきうきと高揚した気分になっていた。ついに、これまで準備してきたことをこの目で確かめる日が来たのだ。自分たちは単なる観客や傍聴人、書記とは違う、とぼくたちは思っていた。ぼくたちは過去の再検討に貢献するためにこそ、裁判を見、傍聴し、記録を取るのだ。

裁判所は十九世紀末に建てられた建物だったが、その当時の裁判所にありがちなけばけばしさや陰気さはなかった。参審裁判〔訳者注・民間人から選ばれた参審員が審判に関与するドイツの制度〕の開かれるホールは、左側に大きな窓が並んでいて、磨りガラスだったので外の景色は見えないものの、光はたくさん入ってきた。窓の前には検察官たちが座っていたが、明るい春の日や夏の日には、彼らの輪郭だけが黒く浮き上がっていた。黒いガウンを着た三人の裁判官と六人の参審員からなる法廷のメンバーがホールの正面に座っており、右側には被告人と弁護人用の座席があったが、その数が多かったため、机と椅子はホールの真ん中の傍聴人席の列の手前まで並べられていた。何人かいる被告人と弁護人たちは、ぼくたちに背を向けて座っていた。ハンナもぼくたちに背を向けていた。彼女の名が呼ばれ、立ち上がって前に進み出たときに、ぼくはようやく気づいた。もちろんそれは聞き覚えのある名前だった。ハンナ・シュミッツ。それからぼくは彼女の姿も見分けることができた。結び目ができるように頭の周りにぐるぐる巻きつけた珍しい髪型、首筋、広い背中とたくましい腕。彼女はまっすぐに立っていた。二本の足でしっかりと。腕はゆったりと下に降ろしていた。彼女は灰色の半袖ワンピースを着ていた。ぼくは彼女を見分けることができた。でも何も感じなかった。何も。はい、起立したままで結構です。わたしは一九二二年十月二十一日、ヘルマンシュタットで生まれました。いまは四十三歳です。はい、ベルリンのジーメンスで働きました。そして、一九四三年の秋に親衛隊に入りました。

「親衛隊には自分の意志で入ったのですか?」

「はい」

「なぜですか?」

ハンナは答えなかった。

「ジーメンスで職長になれるという話があったにもかかわらず、親衛隊に入ったというのは本当ですか?」

ハンナの弁護人が飛び上がった。

「『あったにもかかわらず』というのはどういう意味ですか? 女性だったら親衛隊で働くよりもジーメンスで職長になるべきだという先入観があるようですが? わたしの依頼人の決断に対して、そのような質問をする正当な理由はないと思われます」

彼は着席した。若い弁護士は彼一人で、他の弁護人はみんな年輩であり、すぐにわかったことだが、もとナチスだった者もいた。ハンナの弁護人はナチス世代特有の言い回しや立論を避けていた。しかし彼はあまりにも性急な人間であり、その性急さが依頼人に不利に働くことになった点は、彼の同僚たちのナチス的長広舌が依頼人の不利になったのと同様だった。なるほど彼の抗議によって、裁判長はうろたえたような目を向け、ハンナがなぜ親衛隊に行ったのかについてそれ以上追及しなかった。しかし、そのためにかえって彼女がよく考えた末に、誰からも強いられずに行動したという印象を与えてしまった。陪席判事がハンナに、親衛隊ではどのような仕事をすることになっていたのかと尋ね、ハンナが、親衛隊がジーメンスや他の企業で、看守の仕事をする女性たちを募集した際に自分も応募し、看守として採用されたことを説明したときも、彼女にとって不利な印象はもはや変わらなかった。

裁判長は、ハンナが一九四四年初頭までアウシュヴィッツで、一九四四年から四五年にかけての冬にはクラクフ近郊の小さな収容所で働いていたこと、そこから囚人たちと一緒に西に向かって移動し、西側にたどり着いて、終戦当時はカッセルにいたこと、その後あちこちで生活してきたことを確認し、彼女は言葉少なにそれを認めた。ぼくの故郷の町には八年間住んでいたのだった。それは、彼女が一か所にとどまっていたケースとしては一番長いものだった。

「住む場所をしょっちゅう変えたことが、逃亡の危険を裏付けるというのでしょうか?」

弁護士はあからさまに皮肉な態度で尋ねた。

「依頼人は引っ越すたびに、警察への届け出を行っています。彼女が逃げるとか、なにかを隠蔽するといった可能性はありません。拘置所としては、告訴されている犯罪の重さと、公衆を激昂させる危険があるということで、依頼人の釈放は認め得ないことだと思われたのですね? 裁判官殿、それではまるでナチ時代の拘留理由と同じです。そのような拘留理由はナチスによって導入され、ナチスとともに除去されたはずです。そんなものはもうあり得ません」

弁護人は、皮肉っぽく真実を語る際につきものの意地悪な気楽さを見せながら語った。

ぼくはぎょっとした。ぼくは、自分がハンナの拘留を当然のことであり正しいこととみなしていたのに気づいた。告訴のせいでも、ぼくがまだぜんぜん詳しく聞いてもいない非難の重さや疑惑の強さのせいでもなく、彼女が拘置所にいれば、ぼくの世界、ぼくの生活の外にいてくれることになるからだった。ぼくは彼女がぼくから遠く、届かないところにいてくれることを望んだ。そうすれば彼女は、この何年かのあいだそうであったように、単なる思い出であり続けるだろう。もし弁護人の釈放要求が通るなら、ぼくはハンナに会う覚悟をしなければならないし、彼女に会いたいのか、会うべきか、という問題を、きちんとさせなければいけない。弁護人が負けるようには見えなかった。これまでハンナが逃げようとしなかったのなら、どうしていまになって逃げる必要があるだろうか？　彼女が何を隠蔽するというのだろう？　それ以外の拘留理由は、当時は認められていなかった。

裁判長はまたうろたえたように見えた。ぼくにはだんだん、それが彼のトリックであることがわかってきた。議事進行を阻むような、腹立たしい意見が出されるたびに、彼は眼鏡を外し、意見陳述者を近眼の不安そうなまなざしで見る。それから額に皺を寄せ、意見を無視するか、あるいは「つまりあなたのご意見はこうですね」「あなたはこうおっしゃりたいんですね」という言葉でその意見をくり返す。しかし、その態度からは、彼にこの意見を取り上げるつもりはなく、取り上げるよう要求しても意味がないことが、疑う余地もなくにじみ出ていた。

「つまりあなたのご意見は、被告が裁判所からの手紙にも召喚状にも反応せず、警察にも検察にも裁判所にも姿を見せなかったという事情に関して、拘置所の担当官が間違った解釈を下したということなのですね？　拘置命令の取り消しを申請しますか？」

弁護士は申請をした。そして法廷はそれを却下した。

4

ぼくは一日も休まず公判に通うようになった。他の学生たちは驚いていた。教授は、ゼミ参加者の一人がずっとそこにいることで、グループ間の引き継ぎにも気を配ってくれるだろうと考え、歓迎した。

たった一度だけ、ハンナは傍聴人を見上げ、ぼくの方を見た。それ以外は、彼女は女性の看守に連れて来られるときも、被告人席に着くときも、目をずっと裁判官の方に向けていた。それは高慢な印象を与えたし、彼女が他の被告人と話をせず、自分の弁護人とさえほとんど口をきこうとしないのも、高慢に思えた。しかしながら他の被告人たちも、公判が進むにつれて互いに口をきく回数が少なくなっていった。彼らは休憩時間に親戚や友人たちと一緒になり、朝、傍聴人の中に知った顔を見つけると声をかけていた。しかし、ハンナだけは休憩時間にも自分の席に座り続けていた。

そんなわけでぼくは彼女の後ろ姿を眺め続けた。彼女の頭、首筋、肩。自分のことが審理されるとき、彼女はとりわけぴんと頭を立てた。自分が不当に扱われ、非難され攻撃を受けていると感じ、返答の機会を求めているとき、彼女の肩は前に突き出され、首筋が膨らんで、筋肉の筋がより強烈に浮かび上がった。彼女は定期的に返答につまり、定期的に肩を落とした。彼女はけっして肩をすくめたり、首を振ったりしなかった。肩をすくめたり首を振るなどの軽いしぐさを自分に許すことができないほど、彼女は神経を張りつめていたのだ。彼女は首をかしげたり、頭をがっくり落としたり、何かにもたれかかったりするようなこともなかった。まるで凍りついたような姿勢で座っていた。あんな座り方は痛かったに違いない。ときおり、きつく結った髪から一房が外れて、くるりとカールして首筋に垂れ下がり、風が吹くたびに首を撫でた。ハンナはときどきカットの大きい服を着ていて、左肩の上の方にあるほくろが見えた。彼女の首にかかった髪の毛をふっと吹いて、そのほくろや首筋にキスしたことがあったのを、ぼくは思い出した。しかし、思い出というのは記憶の確認にすぎない。ぼくは何も感じなかった。

何週間にもわたる裁判のあいだ、ぼくは何も感じなかった。ぼくの感情はまるで麻痺してしまったようだった。ぼくはときどき自分の感情を挑発するために、告発されている犯罪行為をしているハンナの姿をできるかぎりはっきりと想像したり、彼女の首筋の髪や肩のほくろが呼び起こす記憶の中のハンナの姿を思い浮かべたりした。それはまるで、注射されて麻痺した腕を自分でつねってみるようなものだった。腕はつねられたことを自覚しないが、手の方はつねったことを自覚している。最初の瞬間には、脳はそれらの認識を区別することができない。しかし、次の瞬間にははっきりと判断する。ひょっとしたら、手はあまりにも強くつねったので、つねられた箇所がしばらく白くなっているかもしれない。停まっていた血がやがてまた流れて、その箇所も赤みを帯びてくる。しかし、だからといって感覚が戻ってくるわけではない。

誰がぼくに注射を打ったのだろう？　感覚を麻痺させないことには耐えられなかったので、自分で自分に麻酔を打ったのだろうか？　麻酔注射は法廷でだけ効いていたわけではない。ぼくは、まるで彼女を愛し求めたのは自分ではなく、ぼくのよく知っている誰かだった、という気持ちでハンナを見ていることができたが、麻酔の作用はそれだけにとどまらなかった。ほかのあらゆることに関しても、ぼくは自分の傍らに立って、もう一人の自分を眺めていた。大学でも、両親やきょうだいや、友人たちと一緒に行動しているときも。そして、ぼくの心は、その場で起こっていることに参加していないのだった。

しばらくしてから、ぼくはそうした麻痺状態が他の人の場合にも見られるのに気づいた。弁護士たちはそれに当てはまらない。彼らは裁判のあいだじゅう、自分の気分や政治的な風向きに応じて、騒がしく独善的な闘争心をむき出しにしたり、やたらと細部にこだわって鋭く追及したり、うるさくてつっけんどんで恥知らずな態度を示したりしていた。彼らは裁判によって消耗し、夕方になると疲れてぐったりすることもあれば、ますますけたたましくなることもあった。しかし、一晩たつとまた充電したバッテリーや空気を入れ直したタイヤのようになり、前日の朝と同じようにがみがみ言ったり、ひそひそささやいたりした。検察官たちもこれに歩調を合わせ、日々同じように闘争的に使命を果たそうとしていた。しかし、彼らにはさしあたりそれがうまくできなかった。対象となる事柄や公判の結果が彼らをあまりにもぞっとさせたし、麻酔薬が効き始めたからでもあった。一番麻酔が効いたのは裁判官と参審員たちだった。ときに涙ながらに、声も絶え絶えに、ときにはせかせかと、あるいは取り乱しながら語られる恐ろしいできごとを、彼らは最初の週のあいだ、目に見えて動揺しながら、理解しようと骨折りつつ聞いていた。後になると彼らの顔はまた普通になり、互いにほほえみながらコメントをささやきあったり、証人の話が横道にそれるとかすかな苛立ちを示したりした。証人の一人から話を聞くためにイスラエルに旅行することになるだろうという話が裁判の中で紹介されると、旅行熱に浮かされた気分さえ漂った。ぼく以外の学生たちは、絶えず驚愕していた。彼らが法廷に来るのは週に一回だけだったたし、来るたびにあらためて、恐ろしい犯罪が彼らの日常の中に割り込んでくるのを体験させられるのだった。毎日裁判を傍聴していたぼくは、そんな彼らの反応を、距離をおいて観察していた。

それはまるで、一月また一月と生き延び、事態に慣れっこになった強制収容所の囚人が、新しく到着した人々の驚愕ぶりを無関心に眺めるようなものだった。誰かが殺されたり死んでいったりする様子を知覚する際の、彼の麻痺した態度もこれと同じだった。生き延びた人々が書いた本にはすべて、この種の感覚麻痺が報告されている。感覚が麻痺することで生命の機能は縮小し、その人の態度は無関心で思いやりのないものとなり、ガス室での殺人や死体焼却も日常茶飯事となった。加害者たちの数少ない発言の中でも、ガス室と火葬場の死体焼却炉は日常的な環境として描かれ、加害者自らも、限定されたいくつかの機能だけを果たし、無思慮で無関心な態度や鈍さにおいて、麻酔をかけられたか酔っぱらったような様子なのだ。被告人たちはぼくの目にはまるで、いまだに、そして永遠にこの麻酔にとらわれており、そのままある程度硬直化してしまった人々に見えた。

人々に共通した麻痺状態について考えたり、そうした状態が加害者と被害者だけでなく、後になるとぼくたち、すなわち裁判官や参審員、検事や書記のような人間にまで拡がったということを考察しながら、ぼくは加害者と被害者、死者と生存者、生き延びた人間と後から生まれてきた人々を互いに比較し、嫌な気分になった。その嫌な気分はいまでも変わらない。こんなふうに人間を比較してしまっていいのだろうか? 会話の中でそうした比較に触れる際、ぼくは常に、その比較は強いられて収容所に来た人々と自分からやって来た人々、自ら苦しんだ人々と他人に苦痛を与えた人々との区別を相対化するものではないし、そうした区別の方が重要で決定的な意味を持つものだ、と強調してきた。しかし、他の人の抗議に反応してこうした説明をするのではなく、誰かが抗議する以前にこうした発言をしてしまうと、自分でも違和感や憤慨を覚えた。

と同時に、ぼくは自問する。いや、すでに当時から、自分に問い始めていた。ぼくたち後から来た世代の人間は、ユダヤ人絶滅計画にまつわる恐ろしい情報を前に、実際何を始めるべきなのだろう? 理解不可能なことを理解できるなどと考えるべきではない。比較不可能なことを比較すべきでもない、あれこれ質問すべきでもない、と主張する人々がいる。質問する人はその恐ろしい事件を疑問視しているわけではないにせよ、話題の一つとしてとらえてしまい、その前で人がただ驚愕と恥と罪を感じて押し黙ることができるような種類のできごととはみなさないから、というのだ。だが、ぼくたちはただ驚愕と恥と罪のなかで沈黙すべきなのだろうか？　それはどのような結果をもたらすのだろう？　ぼくたちがゼミに参加する際に感じていた、過去の再検討と啓蒙活動への情熱が、公判のあいだに失われてしまった、というわけではなかった。しかし、数少ない何人かの人々が判決を受け、刑に服し、ぼくたち後に来る世代が驚愕と恥と罪のなかで押し黙る——それが求めていた結果だったのだろうか？

5

二週目に入って、起訴状が朗読された。起訴状の朗読だけで一日半かかった——それは、一日半のあいだ、間接話法と推量ばかりを聞かされることを意味した。被告人その一は以下のようなことをしたと言われており……さらに次のようなことを……さらには次のことをしたと言われる……それによって彼女は刑法のこれこれの条文にある犯罪構成要件を満たしたと考えられ……さらにはこの要件とこの要件も……さらに彼女は法に反し、過失を犯したとされる……。ハンナは被告人その四だった。

被告となった五人の女性たちは、アウシュヴィッツの外郭支部でもあったクラクフ近郊の小さな収容所で看守をしていたのだった。彼女たちは一九四四年の初めにアウシュヴィッツからそちらへ転勤になった。女囚たちが働いている工場で爆発があり、その際に死んだり負傷したりした看守たちの代わりを務めることになったのだ。訴えの一つは彼女たちのアウシュヴィッツでの行動に対するものだったが、それはやがて他の起訴理由の陰にかすんでしまった。アウシュヴィッツでの何が問題になっていたのか、もう覚えていない。あれはハンナではなく、他の女性たちだけに当てはまる罪状だったのだろうか？　他の起訴理由に比べてそれほど重大な意味のないものだったろうか、それとももともとそんなに大した事犯ではなかったのだろうか？

アウシュヴィッツにいた者を逮捕した場合、その人をアウシュヴィッツでの行動ゆえに訴えないなどということはあり得ないと思われたのだろうか？

もちろんその五人の被告は収容所のチーフだったわけではなかった。司令官がおり、衛兵たちがおり、女看守たちがいた。彼らは囚人たちを西へ向かって移動させていたが、ある夜、爆弾の直撃を受けてその行軍は中止された。ほとんどの衛兵と看守たちはそのときに死亡してしまった。何人かの看守はその夜のうちに逃亡し、西へ向かう行進が始まったときにすでに逃げ出してしまった司令官と同じく、今日まで行方不明である。

囚人たちはその夜の空襲で全員が死んだことになっていた。しかし、二人だけ生存者がおり、母と娘だったのだが、娘の方が収容所と西への行軍についての本を書き、アメリカで出版していた。警察と検察は、五人の被告だけではなく、囚人たちの西への行進が爆弾を受けて終わったときにいた村の住人を、証人として何人か探し出してきた。最も重要な証人は、ドイツまでやってきた生存者の娘と、イスラエルにとどまった母親であった。母親から事情聴取するために、裁判官と検察、そして弁護士がイスラエルまで飛ぶことになっていた。公判の中で唯一ぼくが居合わせなかった場面だ。

主要な起訴理由の一つは、収容所での選別に関わっていた。アウシュヴィッツからは毎月約六十名の女性が送られてきた。それに対し、その間に死亡した者を差し引いてこちらからも六十名を送り返すことになっていた。送り返された女性たちがアウシュヴィッツで殺されることになるのはわかっていた。そこで、工場での仕事にもはや投入できない女性たちが選別され、送り返された。工場では弾薬を作っており、本来の仕事はそれほどきつくなかったのだが、その年の初めの爆発事故で甚大な被害が出たため、女性たちは建設作業に携わっており、工場での仕事はほとんどやっていなかった。

もう一つの主要な起訴理由は、何もかもが終わりになった例の空襲の夜に関連していた。衛兵と看守たちは、何百人もの女性からなる囚人たちを、ほとんどの住人が退去してしまったある村の、教会堂の中に閉じこめていた。落ちた爆弾はほんの二、三発で、近くにある鉄道路線や工場をねらったものか、あるいはもっと大きな町を爆撃した後で余った爆弾が放り出されただけかもしれなかった。一つは衛兵や看守たちが寝ていた牧師館を直撃した。もう一つは教会の塔に当たった。最初に塔が、次に屋根が焼け、燃え上がった梁が会堂に落ちてきた。会堂の椅子も火に包まれた。重たい扉だけが焼け残った。被告人たちは、その扉を開けてやることができたはずだ、というのが起訴理由だった。彼女たちはそれをしなかった。そして、教会に閉じこめられた女性たちは焼け死んでしまった。

6

ハンナにとって、公判はこれ以上ないくらい悪い経過になった。すでに最初の被告人審問の際、彼女は法廷にいい印象を与えることができなかった。起訴状朗読の後、彼女は事実に合わないところがある、と発言を求めた。裁判長は困惑しながら、公判の開廷前に起訴状を読む暇は充分あり、抗弁することもできたはずだし、いまはすでに本公判だし、起訴状の中で何が事実であり事実でないかは、証拠調べの際に明らかになるだろう、とたしなめた。証拠調べが始まると、裁判長は、証人の娘が出版した本のドイツ語訳を朗読するのは省略したい、と提案した。その翻訳はドイツのある出版社から出版される予定であり、原稿は裁判の関係者全員にとって閲覧可能だからという理由だった。ハンナは再び裁判長の困惑した視線を浴びながら、弁護士の説得を受けてようやくそれに同意した。彼女は本当は同意したくなかったのだ。彼女は、以前の司法尋問の際、自分が教会の鍵を持っていたと自白したことも認めようとしなかった。彼女の主張によれば、鍵など持っていなかった、誰も鍵は持っていなかった、教会の鍵が一つだけどこかにあったというわけではなく、扉ごとに別々の鍵があり、それは外から鍵穴に差してあった、というのだ。しかし、彼女が目を通してサインしたはずの司法尋問の調書には、別のことが書いてあった。そして、どうしてわたしに罪を押しつけようとするの、と彼女が質問しても、事態は好転しなかった。彼女は大きな声を出したわけではなく、偉そうにしたわけでもなかった。ただ、頑固に主張し続け、見た目にも声の調子からも、明らかに混乱し、途方に暮れているのがわかった。わたしに罪を押しつけようとする、という彼女の発言は、故意の事実歪曲を非難するような意図は持たなかったが、裁判長はそのように受け取り、鋭く反論した。ハンナの弁護士が飛び上がり、熱心かつ性急に、勢いよく抗弁したが、あなたも依頼人と見解を同じくするのですか、と尋ねられるとまた着席した。

　ハンナは正しく振る舞おうとした。自分に不正が加えられていると思われる箇所では反論し、正しい主張や告発がなされていると思う箇所では罪状を認めた。反論の仕方が頑固であると同時に、罪を認めるのにも積極的だった。あたかも、罪状を認めることで反論の権利も獲得できるかのように。あるいは、反論することによって、自分の側に充分抗弁の余地のない事柄については罪を認めるという義務をしょい込んだかのように。しかし彼女は、自分の頑固さが裁判長を怒らせていることに気づかなかった。彼女には話の脈絡を読みとるセンスがなかったし、法廷の規則もわかっていなかった。有罪か無罪か、実刑か釈放かをめぐり、彼女や他の人の発言が絶えず秤にかけられる際の法廷の決まり文句も解さなかった。彼女に状況判断の能力が欠けている分、彼女の弁護士はもっと経験と確信を持った人間か、もっと有能な人間が務めるべきだったろう。あるいは、ハンナはあんなに弁護士を手こずらせるべきではなかったのだ。彼女は見るからに、彼に信頼をおいていなかった。しかし、彼女は自分で信頼のおける弁護士を選ぶこともしなかった。彼女の弁護人は国選で、裁判長が手配した人物だった。

ときには、ハンナが一種の成功を収めることもあった。収容所での選別についての審問を思い出す。他の被告人たちは、ある時点で選別に関わったということを否定しようとした。しかしハンナは進んで選別に加わったことを認め、ただし自分一人ではなく、他の人も選別に当たったし一緒にやった、と主張したため、裁判長は彼女を問いつめる必要ありと考えた。

「選別はどんなふうに行われたのですか?」

ハンナは選別の手続きについて、看守たちの取り決めで、自分たちの担当になっていた六つの同じ規模のグループのなかから、同数の囚人たち、すなわちその都度十人ずつ合計六十人の囚人を届け出ることになっていた、と述べた。グループごとに病人の数が多かったり少なかったりするときには、多少人数にばらつきが出ることもあり得た、そして最終的には、当番に当たっていた看守たちが集まって、誰が送り返されるべきかという判断を下した、ということだった。

「選別をしないで済ませようとした人は誰もいないんですね? みんなが一緒に行動したのですね?」

「はい」

「囚人たちを死なせることになるとはわからなかったのですか？」

「いいえ、わかっていましたが、新しい囚人が送られてきましたし、古い囚人は新しい人たちのために場所を空けなければいけなかったんです」

「ではあなたは、場所を作るために、『あんたとあんたとあんたは送り返されて死ぬのよ』と言ったわけですか？」

ハンナには、裁判長がその質問で何を訊こうとしているのか、理解できなかった。「わたしは……わたしが言いたいのは……あなただったら何をしましたか？」

それはハンナの側からの真剣な問いだった。彼女はほかに何をすべきだったのか、何ができたのか、わからなかった。そして、何もかも知っているように見える裁判長に、彼だったらどうしたかと尋ねたのだった。

一瞬、法廷は静まり返った。ドイツの刑事訴訟で、被告人が裁判長に質問をするなどというのはあり得ないことだった。しかし、いまや質問がなされ、みんなが裁判長の答えを待っていた。彼は答えなければならなかった。その質問を無視したり、非難するようなコメントや拒絶的な反問でやり過ごすわけにはいかなかった。そのことはみんなにも彼自身にも明らかだった。なぜ彼がうろたえた態度を抜け道として使っているのか、ぼくには理解できた。彼はその態度を仮面の代わりにしていたのだ。その仮面の背後で彼は少し時間を稼ぎ、答えを見つけることができた。しかし、大した時間は稼げなかった。長く待てば待つほど、聴衆の緊張と期待は高まり、それだけいい答えが要求されるのだ。

「この世には、関わり合いになってはいけない事柄があり、命の危険がない限り、遠ざけておくべき事柄もあるのです」

ハンナと自分自身を引き合いに出しながらそう言ったのなら、その発言で充分だっただろう。しかし、何をすべきだとかしてはいけないとか、どんな危険が伴うかなどで言を弄することは、ハンナの質問の真剣さに対して不当だった。自分のおかれた状況の中で何をすればよかったのかをハンナは知りたかったのであって、してはいけないことがあるなんてことではなかった。裁判長の返答は頼りなく、つまらなかった。みんながそう感じた。聴衆は失望のため息をもらし、裁判長とのやりとりである程度勝利を収めたハンナを、不思議そうに見つめた。しかし、彼女自身は考え込んでいた。

「じゃあわたしは……しない方が……ジーメンスに転職を申し出るべきじゃなかったの?」

それは裁判長に対する質問ではなかった。彼女は独り言を言い、ためらいつつ自問していた。そうした問いをまだ自分に突きつけたことがなかったから。そして、それが正しい質問なのか、何が正解なのかと頭を悩ませていた。

7

ハンナが反論する際の頑固さが裁判長を怒らせたように、彼女が罪を認めるときの積極性は他の被告人たちを怒らせた。他の被告人の弁護にとっても、ハンナ自身の弁護のためにも、そのような態度は致命的だったのだ。

実際には、被告人にとってそれほど不利な証拠がそろっていたわけではなかった。第一の起訴理由に関する証拠は、生き延びた母娘の証言と、娘が書いた本だけだった。有能な弁護士だったら、母娘の証言内容を攻撃することなく、この被告人たちが囚人の選別に当たった当事者であるという罪状に対して反駁することができただろう。その点に関しては証言も正確ではなかったし、正確ではあり得なかった。なんといっても司令官、衛兵、他の看守たちがいたのであり、任務や命令系統にも上下関係があった。囚人たちは部分的にしかその組織に接していなかったし、部分的にしか組織を見通していなかったのだから。第二の起訴理由についてもそれは似たようなものだった。母娘は教会の中に閉じこめられており、外で何が起こったのかについては証言することができなかったのだ。もちろん被告人たちは、その場にいなかったと主張するわけにはいかなかった。当時その村に住んでいた証人たちが、彼女らと話をしており、彼女たちのことを記憶していたのだ。しかし、その村から来た証人たちも、囚人たちを救えたのではないかという非難が自分たちにふりかからないよう、注意する必要があった。そこにいたのが被告たちだけだと言うのなら、村の住民たちは彼女たちを押さえ込んで、教会の扉を開けることができたのではないか？ 被告人たちはある強制的な命令を受けて行動していたのだと主張する弁護の方針に、村の住民たちも合わせないわけにはいかなかった。そうすれば、自分たちも責任を免れることができたのだ。彼女たちは衛兵の支配下にあり、彼らから命令を受けていたのではないか？ 衛兵たちはまだ逃げ出していなかった、少なくとも被告人たちは、衛兵が負傷者を野戦病院に運んで、すぐまた戻ってくると思っていたのではなかったか？

他の被告たちの弁護人は、そうした法廷戦略がハンナの積極的な罪状肯定によって破綻してしまうことに気づいた。そこで、作戦を変更し、ハンナの態度を逆に利用して彼女に罪を押しつけ、他の被告人の罪を軽くしようとしたのだった。弁護人たちは専門家らしい冷静さでそれをやってのけた。他の被告人たちは憤激に満ちた反論でそれに加勢した。

「あなたは、囚人たちを送り返せば死ぬことになるとわかっていた、と言いましたね。それはあなただけに当てはまることじゃありませんか？ あなたの同僚たちが何を知っていたか、あなたにはわからないはずです。推察はできても、断言はできないでしょう？」

ハンナは他の被告の弁護人から質問された。

「でもわたしたちはみんな……」

「『わたしたち』とか『わたしたちみんな』と言う方が、『わたし』とか『わたし一人』と言うより簡単ですよね？　あなただけが、囚人の中でお気に入りを作っていたというのは本当ですか？　若い女の子をいつも側において、しばらく経つとまた別の子を連れてきていたというのは？」

ハンナは躊躇した。

「それはわたしだけではなかったと思いますけど……」

「大嘘つき！　あんたのお気に入りは、あんただけのものだったじゃないの！」

被告人の一人が叫んだ。でっぷり太り、ぼんやりしたところもある口の悪い女だったが、見るからに興奮していた。

「あなたは、自分が感じていただけのことを『知っていた』と言ったり、空想しただけのことを『感じていた』と言ったりしているのではありませんか？」

その弁護人は、ハンナがまるでその問いを肯定したかのように、憂慮するような態度で首を振った。

「あなたはお気に入りの囚人に飽きると、次の移送でアウシュヴィッツに送り返したというのは本当ですか？」

ハンナは答えなかった。

「それはあなたの特別な、個人的な選別だったんでしょう？　あなたはそれをもはや認めたくないと思っている。あなたはそれを、みんながやったことの背後に隠したいと思っている。しかし……」

「ああ、神さま！」

証人尋問を終えて傍聴人席に座っていた生存者の娘が、顔の前で両手を打ち合わせた。

「どうしてあのことを忘れていたんでしょう！」

裁判長が、証言を追加したいかどうか、彼女に尋ねた。彼女は前に呼ばれるまで待っていなかった。その場で立ち上がり、傍聴人席で発言し始めた。

「そう、彼女はお気に入りを作っていました。若くて弱くて華奢な女の子の中から一人を選んで、自分の保護のもとにおき、その子が働かなくていいようにし、いいベッドを与え、世話を焼き、いい食事を与えました。そして、夜になるとその子は呼ばれていったのです。その子たちは、夜看守たちと何をしているのか、話してはいけないことになっていました。それでわたしたちはみんな、てっきり……。おまけに、楽しんだあげく飽きられたかのように、その子たちはみんな移送されてしまったんです。でも、その予想はぜんぜん違っていました。ある日、女の子の一人がしゃべったんです。それで、彼女が毎晩本を朗読させられていることがわかりました。ベッドでおもちゃにされるより、その方がよかった。建築現場で死ぬまで働かされるより、よかった。わたしは、よかった、と思ったに違いありません。そうでなければ忘れることなんてなかったでしょう。でも、ほんとによかったんでしょうか？」

彼女は腰を下ろした。

ハンナは振り返ってぼくを見た。彼女のまなざしはすぐにぼくの姿を見つけだした。それでぼくには、彼女がずっとぼくの存在に気づいていたことがわかった。彼女はぼくをただ見つめていた。何かを乞うたり、求めたり、確認したり約束する表情ではなかった。顔だけがそこにあった。彼女がどれほど緊張し、疲れ切っているかがわかった。彼女の目の下には隈ができていたし、左右の頬には上から下まで、ぼくのまだ見たことのない一本の皺が刻まれていた。その皺はまだ深くはなかったが、傷のように顔を刻印していた。彼女に見つめられてぼくが赤面すると、彼女は目をそらし、また裁判長席の方に向き直った。

ハンナに質問した弁護士に向かって、裁判長はもっと質問があるかと尋ねた。それから、ハンナの弁護士に、質問はあるかと尋ねた。質問してくれよ、とぼくは思った。訊いてやってくれよ、弱くて華奢な女の子はどっちみち建築現場での作業に耐えられないから選んだのではないか、と。どっちみち次の移送でアウシュヴィッツへ送られてしまうのだから、最後の一か月間を少しは楽なものにしてやろうとしたのではなかったか、と。言ってやれよ、ハンナ。最後の一か月を楽にしてやりたかったって。だから華奢で弱い子を選んだって。それ以外には理由はない、あり得ないって。

しかし、ハンナの弁護士は質問しなかった。そして、ハンナも自分から口を開くことはなかった。

8

生き延びた娘が収容所にいたときのことを書いた本のドイツ語版は、裁判が終わってから出版された。裁判のあいだに翻訳原稿はできあがっていたのだが、それを読むことができるのは裁判関係者に限られていた。ぼくはその本を英語で読まなければならなかった。当時のぼくにとっては、不慣れで骨の折れる企てだった。そして、いつもそうなのだが、それほど得意でない外国語と格闘しつつ読むという行為は、その本に対して距離をとると同時に、親近感も抱くという、独特の結果をもたらした。とりわけ徹底的にその本を読みこなしたのだが、完全には身につかなかった、というような。言語が異質であるように、その本も異質なものであり続けた。

何年も経ってからぼくはまたその本を読み直し、その本自体が読者に距離をおかせることを発見した。自分を登場人物に置き換えられるようなタイプの本ではなかったし、母、娘、彼女たちがさまざまな収容所——最後にはアウシュヴィッツと、クラクフ近郊の収容所——で運命を共にした人々に対しても、共感が湧かなかった。バラックの班長や看守たち、衛兵たちも、はっきりした表情を持って描かれていないので、読者が彼らに対してある態度をとったり、彼らをいいとか悪いとか思うことはできなかった。ぼくが前に指摘したような神経麻痺が、この本からも発散されていた。しかし、このような麻痺状態のなかでも、執筆者である娘の、記憶し分析するという能力は失われていなかった。彼女はくじけなかった。自己憐憫に陥ったり、自意識過剰になることもなかった。もっとも、明らかに自意識のおかげで彼女は生き延びることができ、収容所での歳月を耐えることができたのみならず、文学的に観察することもできたのだ。彼女は自分のことや、思春期らしい自分のおませな行動、あるいは、必要があれば抜け目のない立ち居振る舞いをしたことなどを、他の事柄を描写するときと変わらぬクールな筆致で書きつづっていた。

ハンナはこの本の中に、実名で登場することもなければ、それとわかるような特徴を持った登場人物として現れることもなかった。ときおり、若くて美しく、自分の使命遂行のために向こう見ずなほどのきちょうめんさを発揮する女看守の姿が、ハンナと重なるような気がしたが、確信は持てなかった。他の被告人を見ていると、ハンナだけが本に描かれているその女看守に該当し得るような気がした。しかし、女看守は他にもいたわけだ。ある収容所で、その娘は「雌馬」と呼ばれていた女看守に出会った。同じように若く、美しく、仕事熱心だったが、残酷で感情的な一面もあった。

クラクフ近郊の収容所で娘が出会った女看守は、この「雌馬」のことを思い起こさせた。他の囚人たちもそんな比較をしていたのだろうか？　ハンナはそれを知っていたのだろうか？　そのことを覚えていたから、ぼくが彼女を馬にたとえたとき、あんなにうろたえたのだろうか？　クラクフ近郊の収容所は、母娘にとってアウシュヴィッツの後の最後の場所だった。待遇は改善された。仕事は重労働だったが、技術的には簡単だった。食事はよくなったし、百人で一つのバラックに眠るよりも、六人で一部屋もらえる方がよかった。それに、前よりも暖かかった。女たちは工場からの帰り道に、薪を拾って持ち帰ることができたのだ。選別に対する恐怖はあった。しかし、アウシュヴィッツにいたときに比べてより大きな恐怖があるというわけでもなかった。毎月六十人の女性が送り返されていた。千二百人のうちの六十人。つまり平均的な体力さえあれば、二十か月は生きられる可能性があるわけだった。そして、人間はそんなとき、自分は平均よりも強いのではないか、と思ったりするものだ。それに加えて、二十か月以内に戦争が終わるのではないか、という期待もあった。

収容所が閉鎖され、囚人たちが西へ向かって歩き出したとき、悲惨な毎日が始まった。季節は冬、雪が降っており、女たちの服装は、工場にいるときでさえいつも寒い思いをし、宿舎ではどうにかこうにかやり過ごせる程度だったが、防寒の役にはまったく立たなかった。もっとひどかったのは靴で、ぼろ切れや新聞紙で作られていることも珍しくなく、立ったり歩いたりするときにバラバラにならない程度につなぎ合わされていたが、雪や氷の上を長時間行進するのには不向きだった。女たちは行進させられただけでなく、急かされ、走らねばならなかった。

「死の行進だって？」

娘は本のなかで自問し、こう答えている。

「いや、あれは死の駆け足、死のギャロップだった」

多くの者が途中で斃れたり、納屋やどこかの軒下で夜を明かしたりした後、もはや起きあがらなかった。一週間後、女たちの半分は死んでいた。

教会は、それまでに泊まった納屋や軒下に比べれば、ずっといい宿だった。打ち捨てられた農家のそばを通り、そこを宿にするときには、衛兵や看守たちが住居の部分を取ってしまっていた。ほとんど人がいなかったその村では、彼らは牧師館に泊まり、囚人たちにも納屋や軒下以上の宿を提供できたのだった。教会に泊まれたことやその村で温かいスープにありつけたことは、まるで悲惨な行進が終わるしるしであるかのようにも思え、女たちは眠りについた。爆弾が落ちたのはそれから間もなくだ。塔が燃えているあいだ、教会の中でも火の音は聞こえたが、見ることはできなかった。塔の先端が折れて屋根の木組みの上に落ちたときも、火の影が見えるまで数分かかった。そのあとはもう火の粉が降り始め、洋服に燃え移り、燃えさかる梁が落ちてきて、椅子や説教壇を火で包んだ。ほどなく屋根の木組み全体が音を立てて会堂の中に落ち、すべてを赤々と燃え上がらせた。

娘の考えでは、女たちがもしすぐに力を合わせて一つのドアを内側から破ったならば、助かることもできたのだった。しかし、すでに起こったこと、これから起こること、そして誰も外から扉を開けてくれないことに気づいたときには、もう手遅れだった。爆弾の落下で目が覚めたときは、まだ真っ暗な夜だった。しばらくのあいだ、彼女たちは塔から聞こえてくる不審な音に耳を傾けており、音をよく聞いて判断するために、静まり返って耳を澄ませていた。ぱちぱち燃える火の音で、窓の向こうでときおり明るく揺れているのは火の影だということ、頭上が爆撃されたということはすなわち火が塔から屋根へ燃え移ることを意味しているのだということ――女たちがようやくそれを悟ったのは、屋根の木組みが目に見えて燃え始めたときだった。彼女たちはそれを悟り、叫び声をあげた。恐怖のあまり、助けを求めて叫んだ。扉にかじりつき、揺すったり叩いたりして叫んだ。

燃え上がった木組みが会堂に落ちてきたとき、壁は暖炉のように火を包み、燃え上がらせた。ほとんどの女たちは窒息死ではなく、明るくごうごうと音を立てる炎に焼かれて死んだのだった。最後に火は鉄を打ちつけた扉まで焼き、真っ赤に熱してしまった。だがそれは何時間も後のことだ。

母と娘は、母が間違った理由で正しいことをしたために生き延びることができた。女たちがパニックに陥ったとき、彼女はもうそこにいたたまれなかった。彼女は二階席に逃げた。そちらの方が火に近かったのだが、そんなことはどうでもよかった。叫びながらあちこちで押し合いへし合いして焼け死んでいく女たちから離れ、娘と二人きりになりたかったのだ。二階席は幅が狭かったので、燃えた梁に直撃されることもなかった。母と娘は壁に体を押しつけて立ち、火が荒れ狂う様子を見、聞いていた。翌日も、下へ降りていく気にはなれなかった。その次の夜には、闇のなかで階段を踏み外すのを恐れて動かなかった。火事の翌々日の明け方、教会から出ていくと、何人かの村人に出会った。彼らは呆気にとられ、無言のまま二人を眺めたが、着る物と食べる物を分けてくれて、彼女たちがその村を出られるようにしてくれたのだった。

9

「どうして扉を開けてやらなかったんですか？」

裁判長は被告人一人一人に同じ質問をした。彼女たちは同じような返答をした。自分は開けられなかったんです、と。なぜか？　一人は、牧師館が爆撃されたときに負傷した、と言った。別の一人は、爆撃でショック状態になった、と主張した。他の者は、爆撃の後で負傷した衛兵や看守たちの世話をし、彼らを瓦礫の中から助け出し、包帯を巻き、看護した、と言った。彼女たちは教会のことを考えなかったか、近くにいなかった、教会が火事になっているのも見なかったし、叫び声も聞かなかった、と言うのだった。

裁判長は一人一人に対して同じ反論をし、報告書は別な読み方ができる、と言った。彼は言葉を選んで慎重に表現した。親衛隊の記録書類の中にある報告書には別のことが書かれている、という言い方をすれば、それは間違いだったろう。正しくは、別な読み方ができる、ということだった。裁判長は、誰が牧師館で死亡し、誰が負傷したか、誰が負傷者をトラックに乗せて野戦病院に運んだか、誰が軍用ジープで負傷者の輸送についていったか、名前を挙げて説明した。彼の言及によれば、看守たちは火災が収まるのを待ち、延焼を防ぎ、囚人たちが火災に乗じて逃亡するのを防ぐために、そこにとどまったのだった。彼は囚人たちの死を話題にした。

裁判長が挙げた名前の中に被告人たちが含まれていなかったことは、被告人たちが後に残った看守の一部であることを示していた。そして、囚人の逃走を防ぐために看守たちが後に残ったということは、負傷者を牧師館から救助し、野戦病院に向けて出発したことですべてが終わったわけではないことを意味した。後に残った看守たちは、教会内の火災が拡がるにまかせ、教会の扉を閉めたままにしておいた。そして、後に残った看守たちの中に、被告人たちもいた、と報告書は読めるのだ。


いいえ、と被告人たちは次々に発言した。そうではありませんでした。報告書は間違っています。報告書に、延焼を防ぐのが後に残った看守たちの任務だったと書かれている部分がすでに違っています。こんな任務をどうやって果たせたというのでしょう？ そんな任務はナンセンスですし、火災に乗じた逃亡の試みを防ぐ、というのもナンセンスです。逃亡の試みですって？ 仲間を助ける必要がなくなって、他の人たち、つまり囚人たちに気を配る余裕ができたとしたら、もう逃亡なんてできないでしょう。いいえ、報告書はまったくの間違いです。わたしたちがその夜何をし、何を成し遂げ、どんな苦しみに耐えたのか、まったく伝えていません。どうしてこんなに間違いだらけの報告書ができたのか、ですって？ わたしにもわかりません。


例の太って口の悪い被告人の番になった。彼女はその理由を知っていた。

「あの女に訊いて下さい！」

彼女はハンナを指さした。

「あの女が報告書を書いたんです。あの女のせいなんです。あいつ一人の。報告書を書いて事実をもみ消そうとしたのも、あたしたちを巻き込もうとしたのもあの女です」

裁判長はハンナに質問した。しかしそのことを訊いたのは最後の質問だった。最初の質問は、前と同じだった。

「どうして扉を開けてやらなかったんですか?」

「わたしたちは……」

ハンナは答えを探していた。

「わたしたちにはそれ以外どうしようもなかったんです」

「それ以外どうしようもないというと?」

「わたしたちの何人かは死にました。他の人は逃げてしまいました。彼らは、負傷者を野戦病院に運んで戻ってくると言ったけれど、実はもう戻るつもりはなかったし、わたしたちにもそれはわかってました。ひょっとしたら野戦病院には全然行っていないかもしれません。負傷者の怪我はそんなにひどくありませんでしたから。わたしたちだって一緒に乗って行きたかったけれど、負傷者は場所を取るからって言われたんです。それにどっちみち場所はないって。彼らは結局、そんなにたくさんの女たちを連れて行きたくなかったんでしょうね。どこへ行ってしまったのか、わたしにはわかりません」

「あなたは何をしたのですか?」

「わたしたち、何をすればいいかわかりませんでした。何もかもが急展開で。牧師館は焼け、教会の塔も焼けました。男たちと車はまだそこにいたけど、その後行ってしまったし、わたしたちは突然教会の中の女たちと一緒に取り残されました。彼らはいくつかの武器を置いていきましたが、わたしたちには使い方がわかりませんでした。もしわかったとしても、数人しかいないわたしたちにとってそれが役に立ったでしょうか？　わたしたちは大勢の女たちをどうやって見張ればよかったのでしょう？　女たちを寄せ集めたとしても長い列になりますし、長い行列を見張るには、わたしたち数人よりももっとずっと多くの人員が必要でした」

ハンナは言葉を切った。

「それから叫び声が聞こえ始め、どんどんひどくなりました。いま教会を開けてみんなが外に駆け出したらと思うと……」

裁判長はしばらく待っていた。

「不安だったのですか？　囚人があなたたちを制圧することを恐れていたのですか？」

「囚人がわたしたちを……いいえ、でもわたしたちはどうやってまた秩序をもたらせばよかったのでしょう？　きっと大混乱になって、わたしたちには収めきれませんでした。それにもし彼女たちが逃げようとしたら……」

裁判長は再び待ったが、ハンナはその先を言わずじまいだった。

「囚人を逃亡させてしまったら、逮捕され、死刑判決を受け、銃殺になると思ったのですか？」

「わたしたちには、囚人をみすみす逃がすことはできませんでした！　わたしたちには責任がありました……つまり、わたしたちは収容所でも行進のときもずっと囚人を見張ってきたのですし、わたしたちが彼らを見張って逃がさないようにすることが肝心だったんです。だから、どうすればいいかわからなかったんです。翌日までに何人の女たちが生き残るかもわかりませんでした。たくさんの女たちが死んでましたし、生き残った者も、もう弱ってましたから……」

ハンナは、その発言が自分にとって有利にならないことに気づいた。しかし、それ以外のことは言えなかった。彼女にできるのは、自分の発言をもう少しうまい表現で説明するよう、努力することだけだった。しかし、彼女が発言すればするほど、彼女の立場は悪くなっていくようだった。にっちもさっちもいかなくなって、彼女は再び裁判長に向かって尋ねた。

「あなただったらどうしましたか？」

しかし今回は、答えてもらえないことを彼女自身心得ていた。彼女は答えを期待していなかった。誰も答えを待ち受けていなかった。裁判長は黙って首を振っただけだった。

ハンナが語ったような当時の行き詰まった状況を、聴く人が想像できないというわけではなかった。夜、寒さ、雪、火、教会の女たちの悲鳴、看守たちに命令し、ここまで行動を共にしてきた兵士たちの脱走……こんな状況の中でどうすべきだったというのだろう。しかし、大変な状況だったということを察知するにしても、看守たちがやったこと、あるいはやらなかったことの結果もたらされた事件の恐ろしさがそれによって緩和されるだろうか？　人通りのない道で寒い冬の夜に交通事故に遭い、負傷し、車も全壊して、どうしていいかわからない場合のように？　あるいは、どうしても果たさなくてはいけない二つの義務のうちどちらを取るかという葛藤で苦しんでいる場合のように？　そんなふうに想像はできるのだけれども、人々は、ハンナが語ったことに関して、想像をめぐらそうとはしなかった。

「報告書はあなたが書いたのですか？」

「わたしたちは一緒に、何を書こうかと考えました。わたしたちは、脱走した人に罪を押しつけたくはありませんでした。でも、自分たちが過ちを犯したかもしれない、というようなこともわざわざ書きたくなかったんです」

「みんなで一緒に考えた、と言いましたね？　書いたのは誰ですか？」

「あんたよ！」

ほかの被告人がまたハンナを指さした。

「いいえ、わたしが書いたんじゃありません。誰が書いたかが重要なんですか？」

検事の一人が、報告書の筆跡とシュミッツ被告の筆跡を専門家に鑑定させるよう提案した。

「わたしの筆跡？　あなたがたはわたしの筆跡を……」

裁判長と検事とハンナの弁護士は、人の筆跡が十五年以上も同じであり続けるかどうかについて議論した。ハンナは耳を傾け、何度か口をはさんだり質問するそぶりを見せた。彼女はどんどん不安げになっていった。そして、発言した。

「専門家を呼ぶ必要はありません。報告書を書いたのはわたしです」

10

金曜日ごとに開かれたゼミのことは何も覚えていない。裁判の様子はありありと思い出せるのに、どんな学問的議論をしていたのか、思い浮かばないのだ。何について話したのだったか？何が知りたかったのだろうか？教授は何を教えてくれたのだろう？でも日曜日のことは覚えている。法廷で過ごしていると、自然の色や匂いがあらためてなつかしくなってくるのだった。金曜日と土曜日、ぼくは他の平日にさぼってしまった勉強を、練習問題の遅れをとり戻し、学期の課題をなんとかこなせる程度には復習しておいた。そして、日曜日になると外に出かけた。

ハイリゲン山、ミヒャエル教会堂、ビスマルク塔、哲学者の道、川べりの道――ぼくは、日曜日ごとの散歩コースをほとんど変えなかった。コースを変えなくても、変化は充分にあった。一週間ごとに豊かになっていく緑。ライン川周辺の平地は、あるときは暑さのあまりもやで霞み、あるときは雨のベールに隠され、あるときは雷雲の下にあった。太陽が森を照らすときには木苺や花の香りがし、雨のときには去年の落ち葉のかび臭い匂いがした。もともと、ぼくは余り変化を必要としなかったし、求めなかった。次の遠足は前よりもちょっぴり先まで行ってみる程度にし、次の休暇は、この前の休暇で発見したお気に入りの場所で過ごす……。もっと大胆になって、スリランカやエジプトやブラジルまで行ってみようと無理をした時期もあった。それからまた、よく知っている地域をもっと訪れたいと思うようになった。知っている地域の方が、いろいろと見えてくるものだ。

ハンナの秘密を解きあかした場所を、ぼくは最近また森の中で見つけた。その場所には何も特別な目印はないし、当時もなかった。奇妙な形の木や岩があるわけでもなく、町や平地が特別な角度から見おろせるということもなく、驚くべき連想を引き出してくれるような特徴は何もなかった。むしろ、何週間も同じところをぐるぐる回っていたハンナについての思考の中から、ある考えが枝分かれし、自分の道を歩んで、ついに独自の結果を導き出したのだ。気がついたとき、その考えはもうそこにあった——信頼できる環境や状況がそれを許すところならば、驚くべき発見というのは実はどこにでもあるのだし、外側から人を襲うのではなく内側で育っていって、知覚され受けとめられるものなのだ。そんなわけで、山への急な上り坂の途中でその考えが湧いてきた。その道は、車道を横切り、泉のそばを通り、最初は樹齢を重ねた高く黒っぽい木の下を、次に明るい雑木林の中を抜けていた。

ハンナは、読むことも書くこともできないんだ。

だから人に朗読させたんだ。だからぼくたちの自転車旅行のときも、書いたり読んだりする仕事をぼくにさせたんだ。そして、ホテルでのあの朝、ぼくのメモを読み、中身が読めるはずだと思われていることに気づき、文盲がばれるのを恐れたとき、あんなに夢中になって怒ったのだ。だから市電の会社での出世のチャンスを棒に振ったのだ。車掌でいるあいだには隠せたかもしれない弱点は、運転士の訓練を受ければ明るみに出てしまっただろう。同じ理由で、彼女はジーメンスでの昇進をも断り、看守になったのだ。そして、専門家と対峙させられることを避けるために、報告書を書いたなんて言ってしまったのだ。だから公判中も、必死で発言したのか？　あの娘の本も起訴理由も読むことができず、弁護のチャンスを見つけたり、それに応じた準備をすることができなかったから？　彼女が自分のお気に入りをアウシュヴィッツへ送った理由もそこにあるのか？　彼女たちが何か気づいた場合に、黙らせることができるように？

だからこそ彼女は弱い子たちをお気に入りにしたのか？

だからこそ？　読み書きのできないことを恥じ、それに気づかれるよりはぼくをいぶかしがらせる方を選んだ、というのは理解できる。人を避けたり、拒んだり、隠したり、偽ったり、傷つけたりする態度の原因に羞恥心があることは、ぼく自身にもよくわかった。しかし、ハンナの場合、読み書きできない恥ずかしさがほんとうに裁判や収容所での態度の原因なのだろうか？　字が読めないことを隠すために犯罪者であることを自白し、文盲が露顕するのを恐れて犯罪を犯したのか？

当時も、その後も、ぼくはどんなにしばしば同じ問いを考えてみたことだろう。ハンナの動機が秘密がばれることに対する恐れだったとしたら——どうして、文盲であるという罪のない告白の代わりに、犯罪者であるという恐ろしい自白をしてしまったのだろうか？　それとも彼女は、何も露顕しないままやり過ごせると思ったのだろうか？　彼女は単に愚かなのだろうか？　そして、露顕するのを避けるために犯罪者になるほど、見栄っ張りで性悪なのだろうか？

そんな考えを、ぼくは当時もその後もはねつけてきた。いや、とぼくは自分で自分に言った、ハンナは犯罪を犯そうと決心したわけじゃない。彼女はジーメンスでの昇進を受けない決心をし、看守の仕事に収まっただけだ。そして、繊細な子や弱い子たちを、自分に本を読んでくれたからという理由でアウシュヴィッツに送ったわけでもない。彼女がその子たちを選んで朗読させたのは、どっちみちアウシュヴィッツに送られてしまう前に、最後の一か月だけ楽をさせてやりたかったからだ。そして、裁判のあいだも、文盲の露顕と犯罪者としての自白とを秤にかけていたわけじゃない。彼女には計算や策略はなかった。彼女は自分の利益を追求したのではなく、自分にとっての真実と正義のために闘ったのだ。彼女はいつもちょっぴり自分を偽っていたし、完全に率直でもなく、自分を出そうともしなかったから、それはみすぼらしい真実であり、みすぼらしい正義ではあるのだが、それでも彼女自身の真実と正義であり、その闘いは彼女の闘いだった。

彼女は疲れ切っていたに違いない。彼女は裁判で闘っていただけではなかった。彼女は常に闘ってきたのだ。何ができるかを見せるためではなく、何ができないかを隠すために。彼女の人生では、出発は大きな後退を、勝利は密かな敗北を意味していた。ぼくの故郷の町を去ったときにハンナにとって問題だった事柄と、ぼくが当時想像し思い描いていた別離の理由とがまったく違っていたという事実は、妙にぼくの心を動かした。ぼくは、自分が彼女を欺くような行動をとったので、彼女を追い出すことになってしまったのだ、と確信していたが、実際は彼女はただ市電の会社で文盲がばれるのを避けただけなのだ。もちろんぼくが彼女を追いだしたわけでないとわかっても、彼女を欺いた事実がそれで変わるわけではなかった。つまりぼくは有罪のままだった。

そして、犯罪者を欺いたことが罪にならないとしても、犯罪者を愛したことが罪になるのだった。

11

報告書を書いた、とハンナが自白したために、他の被告人たちの弁護は楽になった。ハンナが自分一人で行動したわけではないにせよ、他の人々を責めたて、脅し、強制した、ということになった。彼女が司令権をもぎ取ったのだ、と。彼女が筆をとり、言葉を考え出し、決定を下したのだということにされた。

証人として発言した村の住民たちは、ハンナの件に関しては証明も反論もできなかった。彼らは、制服姿の女たちが何人か、燃えている教会を取り囲み、扉を開けないでいるのを目撃しており、そのためにあえて自分たちでそれを開けることもしなかった。彼らは翌朝、その看守たちが出発するところに出くわしており、被告人たちの中にもそのときの看守がいることは証言した。しかし、朝出くわしたときにどの被告人が指導者的立場にいたか、そもそもその中に指導者がいたのかどうか、彼らには判断できなかった。

「しかしみなさん方は、この被告人が」

と、他の被告人の弁護士の一人がハンナを示しながら言った。

「決定を下していたことを否定することもできないわけですね？」

彼らにはそれはできなかった。どうしてそんなことができただろう？　それに、見るからに年上で疲れており、臆病で苦りきっている他の被告人たちの前で、わざわざそれを否定することも望まないようだった。他の被告人に比べれば、ハンナはたしかにリーダー的存在に見えた。おまけにリーダーの存在は、村人たちの責任も軽くしてくれるのだった。厳しく統制された集団を前にして救助活動をあきらめたのだと主張する方が、困惑した女性たちのグループに対して抵抗しなかった場合よりも有利だからだ。

ハンナは闘い続けた。事実に合致していることは認め、そうでないことには反論した。絶望感が強まるとともに、反論も激しくなっていった。大声を出したりしたわけではない。しかし、彼女がしゃべるときのねちっこさは、法廷の人々に違和感を抱かせた。

しまいに彼女はあきらめてしまった。彼女は質問されたときにだけ話すようになり、答えも短く不充分で、ときには気まぐれですらあった。もうあきらめたことを態度で示すかのように、いままでは発言の際にも座ったままだった。裁判が始まったころ彼女に何度も、立つ必要はない、座ったままでよろしい、と言っていた裁判長も、いぶかしそうにそれを見ていた。ぼくはときどき審理の終わりごろに、法廷の人々はもううんざりしていて、ことを早く終わらせたがっている、もうこの一件からは離れて、どこか別の方に気持ちが移っており、何週間にもわたる過去の審理の後でまた現在に舞い戻っている、という印象を受けた。

ぼくもうんざりしていた。でもぼくは、ことを終わらせるわけにいかなかった。ぼくにとっては公判は終わりではなく、始まったところだった。これまでは観客だったぼくが、突然、参加者になり共同決定者になったのだ。ぼくはこの新しい役割を望んだり選んだりしたわけではなかった。しかし、ぼくが望んでも望まなくても、行動しても受け身的態度を取っても、その役割はすでに与えられたのだった。

何か行動するとすれば——可能性はただ一つだった。裁判長のところに行き、ハンナが文盲であることを話す。他の被告人たちがでっち上げようとしているような主犯ではなかった、ということ。裁判のときの彼女の態度は特別な非常識さや洞察のなさ、厚かましさなどを示すものではなくて、起訴状や翻訳原稿を前もって読むことができなかったからだし、戦略・戦術を立てるセンスがないことに起因しているのだ、ということ。彼女が弁護に関してきわめて不利な扱いを受けていること。彼女は有罪かもしれないが、見かけほど重罪ではないということ。

ひょっとしたら裁判長を説得できないかもしれない。しかし、彼があれこれ考えたり、調べたりするきっかけにはなるかもしれない。最後にはぼくが正しかったことが証明されるだろうし、ハンナは有罪にはなっても量刑は軽くなるだろう。刑務所には入るだろうが、早く出てこられ、自由になれるだろう——それこそが彼女が闘い取ろうとしていたものではないのか?

そうだ、彼女はそれを求めて闘っていた。しかし、勝利するために文盲を暴露するという代償を払うことまでは望んでいなかった。彼女は、刑を何年分か短くするために、ぼくが彼女の自己演出を暴いてしまうことも望まないだろう。自分でもそうした取引をすることができたのに、彼女はやらなかった。つまり、やりたくないわけだ。自己演出を守ることに、刑務所何年分もの価値があるわけだ。

でも、その演出はほんとうにそれほど重要なのだろうか？　こんなふうに彼女を束縛し、麻痺させ、自己発展を妨げている偽りの自己演出から得るものがあるのだろうか？　これほどのエネルギーを費やして嘘をつき続けるくらいなら、とっくの昔に読み書きを学ぶこともできたのに。

ぼくは当時、友人たちとこの問題について話そうと試みた。考えてもごらんよ、誰かが自分の意志で破滅しようとしている。そしてそれを救える手だてがあるとしたら、君はやってみるかい？　ある手術をするとしよう。患者は麻薬をやっていて、そのために麻酔が効かないんだけれど、麻薬をやっていることを恥じて麻酔医にそれを言いたがらないとしたら――君は麻酔医のところに行くかい？　裁判の場面を思い浮かべてごらんよ、左利きだということを告白しない限り、有罪になってしまう被告がいる。犯行は右手によるもので、左利きならその犯行はあり得ない。しかし彼は左利きだということを恥じている。君は裁判官に、何がどうなっているかを言うかい？　考えてごらんよ、彼はホモで、その犯行はホモでは行い得ないのに、ホモであることを恥じている。左利きやホモを恥じるべきかどうかという話じゃないんだ。考えてごらん、被告が恥ずかしがっているということが問題なんだ。

12

ぼくは父と話そうと決心した。ぼくと父が近しい存在だったからではない。父は打ち解けない性格で、自分の感情を子どもたちに伝えることもできなければ、ぼくたちが示す感情に応えることもなかった。ぼくは長いあいだ、父の閉鎖的な振る舞いの背後には、掘り出されていない宝物のように豊かな感情があるのだろうと思っていた。でも後になると、そもそも背後に何かあるのだろうかと疑うようになった。父は青少年時代は感情豊かな人間だったのかもしれないが、自分の気持ちを表現しないまま長年過ごした結果、感情が枯死してしまったのかもしれない。

しかし、まさにその隔たりゆえにぼくは父と話そうとしたのだった。それは、道徳的問題に関わったカントやヘーゲルについて、著書を著した哲学者との対話だった。父ならばぼくの問題を抽象的レベルで解きあかすことができるだろう。そして、友人たちと違って、このケースが含むスキャンダラスな点などは気にしないだろう。

父と話そうとするとき、父はぼくたち子どもに対しても学生と同じように面会時間を指定した。父は家で仕事をし、講義やゼミのときだけ大学に行った。父と話がある場合、同僚や学生たちは家の方に訪ねてきた。廊下で壁にもたれ、自分の順番が来るのを待っていた学生たちの列を思い出す。ある者は読書し、ある者は廊下にかかっている町の風景画を眺め、ある者は虚空を見つめて、誰もが黙りこくり、ぼくたちが挨拶しながら玄関ホールを通り過ぎるときに、当惑したような挨拶を返すだけだった。父と面会するとき、ぼくたちは玄関ホールで待つ必要はなかった。でも、ぼくたちもやはり、約束の時間に父の仕事場のドアをノックし、入室の許可を得なければならなかった。

ぼくは父の仕事場を二つ知っている。第一の仕事場でハンナが本の背を指でなぞったのだったが、その部屋の窓は道路や家々に面していた。第二の仕事場はライン川を囲む平地を見おろす位置にあった。ぼくたちが一九六〇年代の初めに引っ越し、子どもたちが大きくなってからも両親が住み続けた家は、町よりも一段高い傾斜地にあった。どちらの仕事場でも、窓は外の世界に向かって部屋を広げるのではなく、外の世界を絵のように部屋の中にとり込む役割をしていた。父の仕事部屋は、本や紙や思考やパイプとタバコの匂いが、外界とは異なった独自の気圧を生み出している空間だった。それはぼくにとって懐かしいと同時によそよそしい世界だった。

父はぼくが、自分の問題について抽象的に、比喩を用いながら話すのを聴いていた。

「裁判と関係があるんだね、そうだろう?」

しかし父は、答えなくてもいいということを示すために、首を横に振った。ぼくの心に踏み込むつもりはないし、ぼくが自分から言おうとしないことは、何一つ知りたくないという意味だった。それから父は、頭を横に傾け、両手を椅子の肘掛けにのせたまま考え込んだ。ぼくを見ようとはしなかった。ぼくは父を見ていた、父の白髪と、いつもながら髭剃りの雑な頬、目のあいだや鼻の脇から口の端にかけての鋭い皺。ぼくは待った。

話し始めると、父はどんどん話題を広げ、人格と自由と尊厳について、主体としての人間と、他人を目的物にしてはいけないということについて、ぼくに説教した。

「君は幼いころ、君にとって何がいいことかママの方がよく知っていたりすると、憤慨する子どもだったことはもう覚えていないかな？　子どもに対してどこまでお節介が許されるかということがすでに、重要な問題なんだ。それは哲学的な問題だけれど、哲学は子どものことを気にしていない。哲学は子どもを教育学に任せっぱなしにし、虐待されるままにしている。哲学は子どものことを忘れちゃったんだな」

父はぼくにほほえみかけた。

「ときどき忘れる、というのではなくて、永遠に忘れてしまったんだよ。わたしが君たちのことを忘れているように」

「でも……」

「でもわたしは大人たちに対しても、他人がよいと思うことを自分自身がよいと思うことより上位に置くべき理由はまったく認めないね」

「もし他人の忠告のおかげで将来幸福になるとしても？」

父は首を左右に振った。

「わたしたちは幸福について話しているんじゃなくて、自由と尊厳の話をしているんだよ。幼いときでさえ、君はその違いを知っていたんだ。ママがいつも正しいからといって、それが君の慰めになったわけじゃないんだよ」

今日、ぼくは好んで父とのこの対話を思い出す。父が死んで、沈殿した記憶のなかに父と過ごした美しいひとときや体験を探し求めるようになるまで、この対話のことは忘れていた。思い出がよみがえってきたとき、ぼくは驚きと幸福の気持ちでこの対話を思い返してみた。当時のぼくは、父が抽象的な話と具体的な話を混ぜ合わせたことにとまどったものだった。しかし最終的には、父の言葉に基づいて、裁判官と話をする必要はない、むしろ話すことは許されない、という結論を導き出して、ほっとしたのだ。

父はそれを見てとった。

「哲学は気に入ったかね？」

「まあね、ぼくはさっきおとうさんに話したような状況で、行動すべきかどうかがわからなくって、行動しなくちゃいけないと思うと憂鬱だったんだ。だけど、まったく行動すべきでないとしたら、それは……」

ぼくはどう言っていいかわからなかった。ほっとさせる？　落ちつかせる？　快適？　そんな言い方は道徳的でなかったし無責任に思えた。それはいいことだと思う、と言えば、道徳や責任を裏切らない言い方だったかもしれないが、父が出してくれた結論が、ほっとするようなものである以上に「いい」とは言えなかった。

「快適？」

と、父が尋ねた。ぼくはうなずくと同時に肩をすくめた。

「いや、君の問題に快適な解決はないね。君が言ったような状況から、責任が生じたり、引き受けざるを得ない事態になったら、もちろん人は行動しなければならない。ある人にとって何がいいことかわかっていて、その人がそのことに目を開こうとしないなら、目を開かせる努力をする必要はあるよ。最後の決断はその人に任せるとしても、その人と話さなくちゃいけないよ。その人の知らないところで他の人と話すんじゃなくて、その人自身とね」

ハンナと話す？ ぼくは彼女に何を言えばいいのだろう？ 彼女の嘘を見抜いた、とでも？ こんな愚かな嘘のために一生をダメにしてしまうところなんだぞ、と？ 必要以上に長く刑務所に入らないで済むよう、闘うべきだ、と？ その後の人生でまだいろいろなことができるように？ 何ができるんだろう？ いろいろなことにせよ、ちょっとしたことにせよ、わずかなことにせよ……彼女は残りの人生で何ができるだろう？ 彼女に人生の見通しを与えることもしないで、嘘を取り除くことなどできるだろうか？ 長期の展望はぼくには思い浮かばなかった。そしてぼくには、彼女の前に出ていって、彼女がした行為に照らし合わせれば、短期あるいは中期の刑務所生活は当然だ、などと言えるかどうか、わからなかった。どうやって彼女の前に出、言葉をかければいいかわからなかった。どうやって彼女の前に出られるかがそもそもわからなかった。

ぼくは父に尋ねた。

「もしその人と話せないとしたらどうなの？」

父は疑うようにぼくを見た。ぼく自身、その問いが的を射ていないことはわかっていた。もう道徳が云々と言っている段階ではなかった。ぼくは決断しなければならなかったのだ。

「わたしには君を助けられない」

父は立ち上がり、ぼくも立ち上がった。

「いや、出ていけという意味じゃないよ、ただ背中が痛いんだ」

父は身体を曲げた姿勢で立ち、両手を腎臓のあたりに当てていた。

「君を助けられなくて残念だとは思わない。君が問いかけた哲学者として、という意味だがね。父親としては、子どもを助けられないという体験は、ほとんど耐え難いものだよ」

ぼくは待っていたが、父はそれ以上話さなかった。父は楽な道を選んだのだ、という気がした。もっとぼくたちの面倒を見たり、手助けできるときもあったのに。もっとも父自身にもひょっとしたらそのことはわかっていて、ほんとにそれで苦しんでいるのかもしれない。どちらにせよ、父には何も言えなかった。ぼくは困惑し、父も困惑していると感じた。

「そう、じゃあ……」

「おまえはいつでもここに来ていいんだよ」

父はぼくを見つめた。

父の言葉を信じないまま、ぼくはうなずいた。

13

六月に、裁判所の人々は二週間イスラエルに飛んだ。そこでの事情聴取には何日もかからなかったのだが、裁判官と検事たちは法的な仕事を観光と結びつけ、エルサレムやテル・アヴィヴ、ネゲブや紅海を回った。仕事と休暇を結びつける点、また、それにかかる旅費の問題はちゃんと正規の手続きを踏んで処理されていたのだろう。それにもかかわらず、彼らの行動はぼくには奇妙に思えた。

ぼくは二週間、勉強に打ち込む計画を立てていた。しかし、ぼくのもくろみ通りにはいかなかった。ぼくは学習に専心できず、教授たちの言葉にも本にも集中できなかった。ぼくの考えはくり返し脇道にそれ、頭に浮かぶ光景に溺れた。

ぼくはハンナが燃える教会のそばで、厳しい顔をし、黒い制服と乗馬用鞭を持っているのを見た。彼女は乗馬用鞭で雪の中に小さな円を描き、ブーツの胴を打っていた。ぼくは彼女が、本を朗読させている様子も思い浮かべた。彼女は注意深く聞き入り、質問はせず、コメントもつけ加えない。朗読の時間が終わると、彼女は朗読していた娘に、明日アウシュヴィッツへ移送されることになった、と告げる。弱々しい体つきで、短く刈り上げた黒髪の近視の女の子は、泣き始める。ハンナが手で壁を叩くと、女が二人入ってくる。彼女たちも縦縞の服を着た囚人で、朗読していた子を引きずって行ってしまう。ぼくはハンナが、収容所の中の道を歩いていき、囚人たちのバラックに入って建設作業を見張っているところを見る。彼女はどんな仕事のときも厳しい表情をしており、冷たい目で唇を細く引き結んでいる。囚人たちは屈んだり身体を曲げたりし、身体を壁に、壁の中に押しつける。壁の中に消えてしまいたいと思っている。ときには大勢の囚人たちが整列したり、あちこちに走って列を作ったり、行進したりする。そしてハンナは、その中に立って命令を怒鳴る。醜くゆがめた顔で、鞭を鳴らしながら。ぼくは教会の塔が屋根の中に崩れ、火の粉が飛び散るのを見る。そして女たちの絶望の声を聞く。その翌朝の全焼した教会を目の前に思い浮かべる。

そんな光景のほかに、別の光景も浮かんできた。台所でストッキングをはいているハンナ、浴槽の前でバスタオルを広げているハンナ、スカートを風になびかせて自転車をこぐハンナ、父の仕事部屋に立っているハンナ、鏡の前で踊るハンナ、プールでぼくの方を見ていたハンナ。ぼくの声に耳を傾け、ぼくに話しかけ、笑いかけ、ぼくを愛してくれるハンナ。光景が混じり合ってしまうと悲惨だった。冷たい目と細く結んだ唇でぼくを愛するハンナ。無言でぼくの朗読に聞き入り、しまいに手で壁を叩くハンナ。ぼくに話しかけ、顔を醜くゆがめるハンナ。一番ひどいのは夢の中で、厳しく支配的で残酷なハンナがぼくを興奮させるときだった。目覚めたぼくはあこがれと恥と憤りにかられ、自分が何者なのかと不安になった。

自分が空想しているのは不充分な書き割りにすぎないことをぼくは知っていた。そのような空想は、ぼくが実際に体験したハンナにはそぐわなかった。にもかかわらずそれらの光景は強大な力を持っていた。それらの光景はハンナについてのぼくの記憶を解体してしまい、頭の中の収容所の世界と結びつけた。

いまになって当時の日々を思い出してみると、どれほど経験に乏しかったか、収容所での生と殺戮をいきいきと伝えるものがいかに少なかったか、痛感させられる。ぼくたちが知っていたものといえば、アウシュヴィッツに関しては、入り口に鋳られた言葉、何段も重なり合った板張りの寝台、髪の毛や眼鏡やトランクの山、ビルケナウに関しては、塔と側翼のある入り口の建物、列車が通り抜けられるようになっている線路、ベルゲン・ベルゼンについては、連合軍が解放の際に発見して写真に撮った死体の山くらいだった。囚人たちの報告をいくつか読んではいた。しかし、そういったドキュメントは戦後すぐに出版されて以降、八〇年代に入ってようやく再版されるまで、出版社のプログラムに載っていなかった。いまではたくさんの本や映画が作られているので、収容所に関して共通にイメージされた世界があり、それは共通の実体験を補足するものになっている。空想もそうした世界を知り尽くしており、テレビの連続シリーズで「ホロコースト」が放送されたり、「ソフィーの選択」のような映画が上映されたり、また特に「シンドラーのリスト」という映画の後では、空想はそれらの映画の世界を動き回って、あれこれ知覚するのみならず、補い合い、話を発展させていく。あの当時は、空想が拡がる余地はなかった。収容所に対して世界中が感じた衝撃には、自由な空想は似合わない、というわけだった。連合軍の写真や囚人のレポートに載っているいくつかの写真を、世間の人々はくり返し眺め、それが書き割りとなって頭の中に固定されていった。

14

ぼくは旅に出ることにした。今日、明日中にアウシュヴィッツに行くことが可能だったら、ぼくはアウシュヴィッツまで出かけただろう。しかし、ポーランドのヴィザを取るのには、何週間もかかるのだった。そこでぼくはアルザス地方のシュトルートホーフに出かけた。それが一番近い強制収容所だった。ぼくはまだ強制収容所というものを見たことがなかった。自分の頭の中にある書き割りを、現実と置き換えたかったのだ。

ぼくはヒッチハイクをした。一台のトラックに乗せてもらったときには、運転手は次から次にビールの瓶を飲み干していた。メルセデス・ベンツに乗せてもらったときは、運転手が白い手袋をしていたのが印象的だった。シュトラースブルクを過ぎると、幸運にも、シュトルートホーフからほど遠からぬところにあるシルメックまで連れていってもらえた。

正確な目的地を告げると、運転手は黙り込んだ。ぼくは彼の方を見たけれど、どうして活発な会話の途中で急に黙り込んでしまったのか、その表情から読みとることはできなかった。彼は中年で、顔は痩せており、右のこめかみに暗赤色の痣か火傷の痕があった。黒い髪の毛はたてがみのようだったが、ぴっちりと左右に分けられていた。彼は道路に意識を集中させていた。

ぼくたちの前にはヴォージュ山脈がなだらかな丘陵となって広がっていた。ぼくたちはブドウが栽培された山あいの道を、開かれた、奥の方が徐々に上り坂になっている谷間に向かって走っていた。左右には混合林が斜面の上まで続き、ときどき採石場があり、れんがの壁に囲まれ、折り重なるような屋根を持った工場の建物や、古い療養所や、高い木々のあいだに、たくさんの小さな塔のある大きな別荘が見えたりした。あるときは左に、あるときは右に、列車の線路が道路と平行して続いていた。

運転手は再び話し始めた。どうしてシュトルートホーフへ行きたいのかと訊かれて、ぼくは裁判の話や自分には見聞が不足しているんだという話をした。

「人間がどうしてそんな恐ろしいことをすることができたのか、理解したいというんだね」

彼の言葉は少し皮肉に聞こえた。それはひょっとしたら方言からくる声の調子や言葉遣いのせいかもしれなかった。ぼくが答える前に、彼は言葉を継いだ。

「いったい何を理解したいんだい？　人が情熱によって人を殺すということ。愛のため、憎しみのため、名誉や復讐のために人を殺すということ。わかるかね？」

ぼくはうなずいた。

「金持ちに、あるいは権力者になるために人を殺すこともあるのはわかるかね？　戦争や革命の際に人殺しをするというのも？」

ぼくはまたうなずいた。

「でも……」

「でも、収容所で殺された人々は、自分たちを殺す相手に対して何もしていない。そう言いたいのかね？　憎しみや戦争の理由になるようなことは何もなかったと？」

ぼくはうなずきたくなかった。彼の言うことは正しいけれども、彼の言い方はよくなかった。

「君の言うとおり、戦争や憎しみの理由なんてなかった。けれども、死刑執行人だって自分が処刑する人を憎んでいるわけではなく、それでも刑の執行はするんだよ。命令されたから？　彼は命令されたからそれをすると思うかね？　わたしがいまから命令と服従の話をし、収容所の職員たちは命令されたからそれに従わなければならなかったんだ、と言うとでも思うかね？」

彼は軽蔑するように笑った。

「いや、命令と服従の話なんかしないよ。職員は自分の仕事をし、邪魔だとか脅されたとか攻撃されたというような理由で囚人を憎んで処刑するのでもなければ、彼らに復讐するために殺すのでもない。囚人なんて彼にはどうでもいいのさ。殺したって殺さなくたって構わないくらいどうでもいい存在なのさ」

彼はわたしを見つめた。

「『でも』って言わないのかい？　そら、言ってごらんよ、人間は他人をどうでもいいなんて思っちゃいけないって。習わなかったのかい？　人間の顔をしたものとは何でも連帯せよって？

人間の尊厳？　生への畏敬？」

ぼくは憤慨したが、どうしていいかわからなかった。彼が言ったことを打ち消し、彼が話せなくなってしまうような強力な言葉、強力な文章はないか、と探した。

「わたしはあるとき」

と、彼は続けた。

「ロシアでのユダヤ人処刑の写真を見たことがある。ユダヤ人は裸で長い列をつくって並ばされ、そのうちの何人かは溝の端に立っていて、後ろに銃を持った兵隊が立ち、彼らの首を狙って撃っていた。現場は石切場で、ユダヤ人や兵隊たちの頭上、壁の窓敷居のところに、一人の将校が座っている。足をぶらぶらさせながらタバコを吸っているんだ。彼はちょっと不機嫌そうに様子を見ている。彼には処刑のテンポが遅すぎるのかもしれない。しかし彼の表情には、満足げな、それどころか楽しげなところも見て取れるんだ。とにもかくにも一日分の仕事をなし終え、もうすぐ勤務明けになるからだろうか。彼はユダヤ人を憎んじゃいない。彼は……」

「あんたがその将校だったんですか？　あんたが窓敷居に座って、そして……」

彼は車を停めた。顔が真っ青で、こめかみの痣が光っていた。

「降りろ！」

ぼくは降りた。彼が乱暴に方向転換したので、脇に飛びすさらなくてはならなかった。車が次のカーブを曲がるのが聞こえ、それから静かになった。

ぼくはその道を上がっていった。ぼくを追い越す車もなければ、向かってくる車もなかった。

鳥の声、木々を吹きわたる風の音、ときには小川のせせらぎも聞こえた。ぼくはほっと息をついた。十五分後、強制収容所に着いた。

15

ぼくは最近またあそこへ行ってきた。冬の、澄み切った寒い日だった。シルメックを過ぎると森にも雪が積もっていて、木には白い粉がかかり、地面も白色に覆われていた。強制収容所の敷地はヴォージュ山脈を見はるかす高台の傾斜地にある細長い地所なのだが、明るい陽光に照らされて白く輝いていた。灰青色に塗られた木造の二、三階建ての見張り塔と、同じ色の平屋のバラックが、雪の白と快い対照をなしていた。たしかに、そこにはまだ金網の門と「シュトルートホーフ＝ナッツヴァイラー収容所」と書かれた看板、それに収容所の周囲にめぐらされた二重の鉄条網があった。しかし、残されたバラックとバラックのあいだの土地は、かつてはもっと多くのバラックがびっしり建っていたはずなのに、いまは更地となり、きらきら光る雪に覆われて、収容所の名残はうかがえなかった。子どもたちがそり遊びをするためのスロープだと言ってもいいくらいだった。感じのいい横桟付き窓のある、親しみの持てるバラックは子どもたちの冬休みの宿舎と見まごうほどで、すぐにでも、ケーキと熱いココアができたよ、と呼ぶ声が聞こえてきそうだった。

収容所は閉鎖されていた。その収容所の周りを雪を踏み固めながら一まわりすると、靴の中まで水がしみこんできた。敷地全体をよく見渡すことができ、初めてここを訪れた当時、いまではもう撤去されたバラックの台座のあいだに作られた階段を下りていったことを思い出した。当時、バラックの一つで公開されていた死体焼却炉のことも思い出した。それから、別のバラックに独房が作られていたことも。当時のぼくは、敷地に囚人と看守たちが大勢いる様子を想像し、人々の苦しみを具体的に思い描こうとしたけれどうまくいかなかった。ぼくはほんとうに努力してみたのだ。一棟のバラックを眺め、目を閉じてそのバラックが何棟も何棟も並んでいるところを想像した。バラックの大きさを測り、パンフレットの数字から人口密度を割り出してみて、どれほど窮屈だったか考えてみた。バラックのあいだの階段が点呼の場所としても使われていたことを知り、階段を眺めながら下の端からてっぺんまで囚人の背中で埋まっている様子を思い浮かべようとした。しかし、想像力はうまく働かず、ぼくはみじめな、恥ずかしいような気持ちになったのだった。この冬の訪問時、そこから車で戻る際、ぼくは傾斜地のずっと下の方の、一軒のレストランに向かい合った建物が、ガス室であったと表示されているのを発見した。外壁は白く塗られ、砂岩をはめ込んだドアと窓があって、納屋か倉庫、あるいは召使いたちが住む家のようにも見える。この建物も閉鎖されていた。あの当時ここに入ったかどうかは思い出せなかった。ぼくは車から降りなかった。エンジンをかけたまましばらく車の中に座ってその建物を見ていた。それから発車した。

ぼくは最初、帰りにアルザスの村々を車でぐるぐる回り、昼食のためのレストランを探すのは、恥ずかしいことだと思った。しかし、そう思ったのはほんとうに恥の感情があったからというよりも、強制収容所を訪れたあと、どのような気持ちを持つべきかと考えたからだった。そう思っている自分に気がつくと、ぼくは肩をすくめ、ヴォージュ山脈の麓の村で「坊ちゃん亭」というレストランに入った。ぼくのテーブルからは平野が見おろせた。そういえば、ハンナはぼくを「坊や」と呼んだのだっけ。

初めての訪問の際、ぼくは強制収容所の敷地内を終了時刻が来るまで歩き回った。それから、収容所の上方にある記念碑の下に座って、敷地を見おろした。自分が空っぽなのを感じた。まるで、外ではなく自分の内に経験を探し求めて、何も見つからないと気づいたかのように。

やがて暗くなった。一時間待ったところでようやく、荷台の空いた小さなトラックがぼくを拾って荷台に乗せてくれ、一番近くの村に連れていってくれた。その日のうちにヒッチハイクで家まで帰るのはあきらめた。ぼくは村の宿屋に安い部屋を見つけ、食堂でフライドポテトとえんどう豆を添えた薄いステーキを食べた。

隣のテーブルでは四人の男たちが騒ぎながらトランプをしていた。ドアが開き、小柄な老人が挨拶もしないで入ってきた。短いズボンをはき、片足は木でできた義足だった。彼はカウンターでビールを注文した。隣のテーブルには背を向け、彼の大きすぎる禿頭も向けていた。トランプをしていた男たちはカードを置き、灰皿をつかむと吸いがらをいくつか拾い上げては投げ、老人にぶつけた。カウンターの男はハエでも追うように、後頭部の周りで両手をひらひらさせた。店の主人が彼の前にビールを置いた。誰も何も言わなかった。

ぼくは我慢ができなくなって、飛び上がると隣のテーブルに行った。

「やめろよ!」

ぼくは怒りで震えていた。その瞬間、老人がひょこひょこ飛ぶように近づいてきて、自分の足をいじくると、突然義足を外して両手に持ち、大きな音を立ててテーブルを叩いたので、グラスや灰皿が宙に踊った。老人は空いている席に座った。歯のない口でひいひいと笑い、他の男たちも笑った。酔っぱらいたちの笑い声が響きわたる。

「やめろよ、だとさ」

彼らは笑いながらぼくを指さした。

「やめろよ、だと」

その夜、風はごうごうと宿屋の周囲を吹きまくった。寒くはなかったし、風のうなる音や窓の前で木がぎしぎしいう音、ときおり鎧戸がぶつかる音などはそれほどうるさくはなく、そのせいで眠れないというほどではなかった。でも、心の中がどんどん落ちつかなくなってきて、しまいには身体の方も、全体が震え始めた。何か悪いことが起こるというような不安を感じたのではなく、身体の状態が不安そのものだった。ぼくは横たわったまま、風の音に耳を澄ませ、風が弱く静かになるとほっとすると同時に、あらためて強くなるのでは、と恐れた。翌朝どうやって起きてヒッチハイクしたらいいのか、どうやってこの先勉強したらいいのか、どうしたらいつの日か職業や妻や子どもを持つことになるのか、わからなかった。

ぼくはハンナの犯罪を理解すると同時に裁きたいと思った。しかし、その犯罪は恐ろしすぎた。理解しようとすると、それが本来裁かれるべきようには裁けないと感じた。世間がやるようにそれを裁こうとすると、彼女を理解する余地は残っていなかった。でもぼくはハンナを理解したいと思ったのだ。彼女を理解しなければ、再び裏切ることになるのだった。その作業はぼくにとって終わりのないものだった。ぼくは両方を自分に課そうとした。理解と裁きと。でも両方ともうまくいかなかった。

翌日はまた、快晴の夏の日になった。ヒッチハイクはうまくいき、何時間もしないうちに家に戻れた。ぼくは町を歩いた、まるで長いあいだ不在にしていた人のように。ぼくには通りも家も人もよそよそしく思えた。しかし、強制収容所という異質な世界がそれによってぼくに近づいたわけでもなかった。シュトルートホーフについてのぼくの印象は、ぼくがすでに知っていたアウシュヴィッツやビルケナウやベルゲン・ベルゼンの数少ない情景と一緒くたになり、硬直していった。

16

ぼくはそれから、やはり裁判長のところに出かけていった。ハンナのところへは行けなかった。しかし、何もしないでいることにも耐えられなかった。どうしてハンナと話すことができなかったんだろう？　彼女はぼくを捨てたのだし、ぼくをだましていて、ぼくが見ていたような、空想していたような人間ではなかった。それに彼女にとってぼくは何だったんだろう？　彼女に利用された小さな朗読者、彼女を楽しませた小さな愛人？　ぼくと別れたいのにうまく別れられないような事態になれば、彼女はぼくのこともガス室に送っただろうか？

どうしてぼくは何もしないでいることに耐えられなかったのだろう？　ぼくは自分に、誤った判決が出るのを防がなくては、と言い聞かせた。正義が行われるように配慮しなければいけない、ハンナがつき続けている嘘にはお構いなく。それは、ハンナのためであると同時に、ハンナの意志に反する正義なのだった。しかし、ほんとうに正義が問題なのではなかった。ぼくはハンナを、いままでであり続けたような、これからもそうであろうとしているような状態に置きたくなかったのだ。ぼくは彼女に関わらないわけにはいかなかった、何らかの影響を与えずにはいられなかった、直接にでなければ、間接的にでも。

裁判長はぼくたちのゼミグループのことを知っていて、ミーティングが終わったあと、喜んでぼくに会ってくれた。ドアをノックすると、入りなさいと声がかかり、歓迎され、書き物机の前の椅子に座るように勧められた。彼はワイシャツ姿で机の向こう側に座っていた。裁判官のガウンは椅子の背もたれと肘掛けの上に広げて掛けられていた。裁判長はガウンの上に腰を下ろし、ガウンは少しずつ下にずり落ちていった。彼はリラックスした雰囲気だった。一日の仕事を終え、満足している男の姿だった。裁判中に本心を隠す仮面のように使っていた困惑した表情も消え、親切で知的で害のない公務員の顔をしていた。彼はやたらにおしゃべりし、ぼくにあれこれと尋ねた。ぼくたちのゼミでは裁判の経過をどう考えているか、教授は裁判の記録をどうするつもりなのか、ゼミ生は何年生なのか、ぼく自身は何年生か、どうして法学を専攻しているのか、国家試験を受けるつもりはあるのか云々。いずれにせよ、国家試験の申し込みは早くした方がいいですよ。

ぼくはすべての質問に答えた。それから、彼が自分の学生時代や国家試験のことを話すのを拝聴した。彼は何もかもきちんとやった。正しい時期に、それなりの成果を挙げつつ、必要とされる演習やゼミナールをこなし、最終的に国家試験に合格した。法律家・裁判官としての仕事は気に入っているし、自分がやってきたことをもう一度やらなくてはならないとしても、いままでと同じようにやるだろう、と言った。

窓は開いていた。駐車場では車のドアがばたんと閉まり、エンジンのかかる音が聞こえた。ぼくは、その車の音が道路の騒音に飲み込まれてしまうまで、耳を澄ましていた。そのあと、子どもたちが空っぽになった駐車場で遊んだり騒いだりしていた。ときにはある単語が、非常にはっきりと聞こえてきた。名前とか、ののしりの言葉とか、呼びかけなどが。

裁判長は立ち上がり、別れの挨拶をした。もっと質問があれば、またいつでも来ていいですよ、と言った。勉強の上での助言が必要なときにも、どうぞ。そして、この公判についての、あなたのゼミの判断や評価も是非教えて下さい。

ぼくは空っぽの駐車場を通って行った。年長らしい男の子に、駅までの道を教えてもらった。車で裁判所に来ていたゼミの学生たちは、ミーティングのあとですぐに戻ってしまったので、ぼくは列車で帰らなければならなかった。ぼくが乗ったのは、仕事帰りの人たちが乗る各駅停車の列車だった。一駅ごとに停車し、人が乗り降りし、ぼくは窓辺で、絶えず入れ替わる乗客や、会話や、匂いに包まれていた。窓の外を家々や道路や車や木が通り過ぎていき、遥か向こうには山や城や採石場が見えた。ぼくはすべてを目に留めながら、無感覚のままだった。ぼくはもう、侮辱されたとか、ハンナに捨てられたとか、だまされた、利用された、などと思ってはいなかった。ぼくはもう彼女に関わる必要も感じなかった。感覚が麻痺したような状態でこの公判における恐ろしい事実を追ってきたのだったが、その状態が、過去何週間かの感情と思考の中で落ちついていくのを感じた。それを喜んだというのは言い過ぎだろう。でも、それでよかったんだ、と感じた。そうすることで、ぼくはまた日常生活に戻っていける、これからも生きていける、と思った。

17

六月末に判決が下った。ハンナは無期懲役になった。他の被告たちはもっと期間の短い懲役刑だった。

法廷は、公判が始まったときと同じく、人で一杯だった。法律関係者、ぼくの大学や地元の大学の学生たち、高校のクラス、国内外のジャーナリスト、そして、いつも傍聴に来ていた人々。騒がしかった。被告人たちが連れてこられても、最初は誰も注意を払わなかった。しかし、やがて傍聴人たちは黙り込んだ。最初に、前方の、被告席のすぐそばに座っている人たちが静かになった。彼らは隣の人をつつき、後ろにいる人たちの方を振り向いた。

「ごらんよ」

彼らは耳打ちし、被告席を見た人々も静かになった。そして、またその隣の人をつつき、後ろの席に向いて「ごらんよ」と耳打ちするのだった。しまいには、法廷中が静まり返った。

ハンナは、自分がどう見えるか知っていたのだろうか。それともひょっとしたら、そういうふうに見せたいと思ったのだろうか。ぼくにはわからない。彼女は黒いスーツに白いブラウスという服装だったが、スーツの形や、ブラウスに合わせたネクタイなどが、まるで制服のように見えた。ぼくは親衛隊で働いていた女性たちの制服を見たことはない。しかし、ぼくも、他の傍聴人も、制服を目の当たりにしているような気がした。制服と、その制服を着て親衛隊のために働いていた女性、ハンナが告発されたような犯罪をすべてやってのけた女性。

傍聴人たちはひそひそ話を始めた。怒りを声に表している者も多かった。彼らは、法廷も、判決も、判決を聴くために集まった自分たちまでもが、ハンナにあざけられていると感じたのだった。彼らは声を荒らげ、思っていることをハンナに向かって叫ぶ者もいた。そのざわめきは裁判官たちが法廷に入場し、裁判長が困惑したまなざしをハンナに向けたあとで判決を言い渡すまで続いた。ハンナは起立して判決を聴き、まっすぐ立って動こうとしなかった。判決理由の読み上げのとき、彼女は着席した。ぼくは彼女の頭と首筋から目を離さなかった。

判決理由読み上げは何時間もかかった。裁判が終わり被告人たちが連れて行かれるとき、ぼくはハンナがぼくの方を見てくれるのではないかと期待した。ぼくはいつもの席に座っていた。しかし、彼女はまっすぐ前を向き、何もかも突き抜けるような目をしていた。高慢な、傷ついた、敗北し、限りなく疲れたまなざし。それは、誰も何も見ようとしない目だった。

III

I

裁判が終了したあとの夏を、ぼくは大学図書館の閲覧室で過ごした。開館時間と同時に入り、閉館まで粘った。週末は家で勉強した。一心不乱に、ものに憑かれたように勉強し続け、裁判によって麻痺した感情と思考をその後も麻痺させていた。ぼくは人に会うのを避けた。実家を出て、部屋を借りた。閲覧室や、たまに映画に行ったときなどに会う数少ない知人たちに声をかけられても、拒絶的な態度をとった。

冬学期にも、ぼくは態度を変えなかった。それなのに、クリスマスをはさんで一緒にスキー小屋に行かないかと、あるグループに誘われた。驚きながらも、ぼくは承諾した。

ぼくは大してスキーがうまくなかった。でも、滑るのは好きだったし、かなりのスピードを出して、うまいスキーヤーたちについていった。ときには自分の手にあまるような急斜面や断崖に挑んだりもした。それはぼくが意識的にする挑戦だった。もう一つの危険、ぼくがいつのまにか足を踏み入れ、はまりこんでしまった危険のことは、まったく意識していなかった。

ぼくは、寒いと思わなかった。他の学生たちはセーターやジャケットを着て滑っていたのに、ぼくはシャツ姿だった。他の連中はそれを見て首を横に振り、ぼくをからかった。心配して忠告してくれる者がいても、ぼくはそれを真剣に聞こうとしなかった。寒さを感じなかったのだ。ぼくは咳をし始めたが、それをオーストリアタバコのせいにした。熱が出始めても、その状態を楽しんだ。身体が弱ると同時に軽くもなり、感覚は気持ちよく鈍っていって、綿にくるまれたような、ふわんとした感じだった。ぼくはふらふらしていた。

やがて高熱が出て、ぼくは病院に運ばれた。退院したとき、感覚の麻痺状態はなくなっていた。公判のあいだに一度あふれだしたまま麻酔をかけられていた問いや、不安や、訴えや自分への非難、驚愕の念や痛みなどが再びぼくを襲い、今度はぼくの中に残り続けた。凍えるはずのときに寒さを感じない患者に対して、医者がどんな診立てをするのか、ぼくは知らない。ぼくの場合は、感覚の麻痺状態が解けてぼくを離れる前に、ぼくの肉体まで支配してしまったのだと思う。

大学を卒業し、修習生になったとき、学生運動の夏がやってきた。ぼくは歴史と社会学にも関心があったし、修習生として大学に来ることも多かったので、学生運動の動向は充分に把握できた。把握するということは、必ずしも行動を共にすることを意味しない。大学や大学改革などは、ヴェトコンやアメリカ人と同じくらい、ぼくにはどうでもよかった。学生運動の第三のテーマであり本来の問題点でもあった、ナチズムの過去との対決に関しては、あまりにも距離を感じたので、他の学生と一緒にアジッたりデモに行ったりすることもなかった。

ときおりぼくは、ナチズムの過去との対決というのは学生運動のほんとうの理由というよりも、むしろ世代間の葛藤の表現であって、それこそが学生運動の駆動力になっていたのだと思うことがある。どの世代も親の期待から自分を解放しなければならないわけだが、ぼくたちの場合その親たちは、第三帝国において、あるいは遅くともその崩壊後において、誤った行動をとったということで片づけられてしまった。ナチの犯罪に手を染めた者、それを傍観していた者、目をそらしていた者、あるいは一九四五年以降においても戦争犯罪を追及しないどころか、戦犯を受け入れてしまった者——そんな人間が、子どもに何を言う権利があるだろう。しかし、親を責めることができない子どもや責めたくない子どもたちにとっても、ナチの過去というのは一つのテーマだった。彼らにとっては、ナチズムの過去との対決は世代間の葛藤のヴァリエーションではなくて、自分自身の問題だった。

集団罪責というものが道徳的・法律的にどのような意味を持つにせよ、そのころ学生だったぼくたちの世代にとっては体験を伴う現実だった。それは、第三帝国時代に起こった出来事にのみ当てはまるわけではなかった。ユダヤ人の墓石にハーケンクロイツが落書きされたこと、昔ナチ党員だった人々が戦後も裁判所や行政部門や大学などで出世したこと、ドイツ連邦共和国がイスラエルを承認しなかったこと、ナチに順応した人々の生活に比べて亡命者や抵抗運動についての記録があまり伝えられていないこと——戦犯が明らかにされているとはいえ、こうした一連の状況をぼくたちは恥ずかしく思った。責任者を指さすだけでは、恥ずかしさは消えない。しかし、責任者を示すことで、恥じる者の苦しみを克服することはできた。責任者の糾弾は、恥じる者の苦しみをエネルギーに、行動に、攻撃性に置き換えた。そして、罪深い両親との対決には、とりわけエネルギーが注がれたのだった。

ぼく自身は、誰も指さすことができなかった。両親には責めるべきところは何もなかった。強制収容所裁判のゼミに参加することで父を恥じ入らせようとするぼくの啓蒙的情熱は、とっくに失われ、苦々しいものになっていた。ぼくの周辺の人々が第三帝国時代に行ったこと、集団罪責にあたるとされている行動も、ハンナがやったことに比べれば、まったく大した犯罪ではなかった。ぼくはほんとうならハンナを指ささなければいけないのだった。しかし、ハンナを告発すれば、それは自分にも戻ってきた。ぼくは彼女を愛したのだ。愛しただけでなく、選んだのだ。ハンナを選んだときには、彼女のしたことは知らなかったのだから、と自分を説得しようとした。両親を愛する子どものような無邪気で純真な状態に自分はあったのだ、と思おうとした。両親への愛は、責任を伴わない唯一の愛だった。

いや、ひょっとしたら、両親への愛に対しても、責任を持たなければいけないのかもしれない。ぼくは当時、他の学生たちが自分を両親から切り離し、それによって犯罪者・傍観者・目をそらした者・許容者や受容者の世代から自分を切り離して、恥の感情とは言わないまでも、恥じることの苦しみを克服してしまえるのをうらやましく思ったものだった。しかし、ぼくがしばしば目の当たりにした、彼らの高飛車な自己正当化はどこから来たのだろう？ どうやって、罪と恥とを感じつつ、同時に自分は正しいと決めつけることができるのだろうか？　両親と自分を切り離し糾弾する行為は、両親への愛によって集団罪責に巻き込まれることを避けるための、レトリックであり、ノイズにすぎなかったのか？

そんなふうに考えたのは後のことだった。そう考えたからといって、慰めが得られたわけではない。ハンナを愛することによる苦しみが、ある程度ぼくの世代の運命でもあり、ドイツの運命を象徴し、そしてぼくの場合はそこから抜け出たり乗り越えたりするのが他の人よりむずかしいのだ、と言われても、それが何の慰めになったろう。それにもかかわらず、自分がこの世代に属しているという感覚は、当時のぼくには心地よいものだったのだ。

2

ぼくは修習生のときに結婚した。ゲルトルートとぼくはあのスキー小屋で知り合い、休暇が終わって他の学生たちが戻ってしまってからも、彼女はぼくが退院するまで残って一緒に帰ってきてくれたのだった。彼女も法律専攻だった。ぼくたちは一緒に勉強し、一緒に国家試験に受かり、一緒に修習生になった。ゲルトルートのお腹に赤ん坊ができたとき、ぼくたちは結婚した。

ハンナのことは彼女にも話さなかった。相手の過去の満たされない関係など誰が聞きたがるだろう? ゲルトルートは賢く、まじめで誠実な人間だった。もしぼくたちが、大勢の下男下女のいる農場を経営し、多くの子どもを育て、仕事ばかりで互いのための時間はない、というような生活をしていたなら、ぼくたちはかえって満たされ、幸せでいられたかもしれない。しかし、郊外に新しくできた3DKの住まいに住み、ユリアという娘が生まれ、ゲルトルートもぼくも修習生、というのがぼくたちの人生だった。ぼくは、ゲルトルートと一緒に過ごす時間を、ハンナと一緒に過ごした時間と比べずにいられなかった。ゲルトルートと抱き合っているときも、何かが違う、彼女ではない、彼女のさわり方、感じ方、匂い、味、すべてが間違っていると思わずにいられなかった。そんな感覚は、いつかは消えるだろうと思っていた。消えることを望んでいた。ぼくはハンナから解放されたかった。しかし、何かが違うという思いは、けっして消えることがなかった。

ユリアが五歳のとき、ぼくたちは離婚した。もう耐えられなかった。別れるときには苦々しい思いはなく、ぼくたちはその後も忠実な友人同士だった。ぼくを苦しめたのは、あれほど切実に暖かい家庭を求めていたユリアに、それを与えてやれなかったことだった。ぼくとゲルトルートが互いに信頼の気持ちを抱いて親しくしているときには、ユリアはまるで水のなかの魚のように生き生きし、本領を発揮していた。ぼくたちのあいだの緊張関係に気づくと、ユリアはぼくとゲルトルートのあいだを行ったり来たりして、おとうさんもおかあさんもいい人よ、大好きよ、とユリアは弟をほしがっていたし、弟妹ができればきっと喜んだだろう。ユリアは長いあいだ、離婚の意味が分からず、ぼくが訪ねていくとずっといて欲しがったし、ぼくを訪ねてくるときにはゲルトルートも同伴することを望んだ。彼女たちの家を辞し、窓から見送るユリアの悲しそうなまなざしを感じながら車に乗り込むとき、ぼくの胸は張り裂けそうだった。ぼくたちがユリアから取り去ってしまった暖かい家庭、それは単に彼女の願いであっただけではなく、彼女の当然の権利でもあったのに、と思った。ぼくたちは、離婚することで彼女からその権利を奪い取ってしまった。そして、ぼくたちが二人でそれをしたからと言って、罪が半分になるわけではなかった。

その後の女性関係では、ぼくはもう少し根を張ろうと試みた。ある女性に、ハンナのようなさわり方や感じ方を見いだそうとしたり、ハンナのような匂いや味がすると思ったりして、その関係を正しいものだと思おうとした。ぼくはハンナのことを相手に打ち明けた。後に出会った女性たちには、ゲルトルートのとき以上に自分のことを語ろうとした。ぼくの態度や気分が妙に思えるときにも、そのわけを理解してほしかったのだ。しかし、女性たちは多くを聞きたがらなかった。ヘレンのことを思い出す。彼女はアメリカから来た文学者だった。ぼくが話しているあいだ、慰めるように無言で背中をさすり続け、ぼくが語るのをやめてもまださすり続けていた。精神分析家のゲジーナは、ぼくと母親との関係を再検討する必要がある、と言い、ぼくの話の中に母親がぜんぜん出てこないことに気がつかないのか？　と訊いた。歯医者のヒルケは、ぼくたちが出会う前のことをくり返し尋ねるくせに、ぼくが話したことをすぐに忘れるのだった。そんなわけでぼくはまた話すのをやめてしまった。話の真実の中身は、ぼくの行動の中に含まれているのだから、話はやめてしまってもいいのだった。

3

ぼくが修習を終えるための二度目の国家試験を受けていたとき、強制収容所裁判のゼミをやっていた教授が亡くなった。新聞で教授の死亡記事を見つけたのはゲルトルートだった。埋葬はベルク墓地で行われることになっていた。あなたは埋葬に行かないの？

ぼくは行きたくなかった。埋葬は木曜の午後で、ぼくは木曜と金曜の午前中にレポートを書かなくてはいけなかった。亡くなった教授とぼくが特に親しかったわけでもなかった。それにぼくは葬式が嫌いだった。あの裁判のことも思い出したくなかった。

しかし、もう手遅れだった。思い出はすでに呼び覚まされてしまった。そして、木曜日、レポートを書いて外に出ると、まるで過去との約束があって、破ることは許されないような気分になっていた。

いつもならそんなことはしないのに、その日に限ってぼくは市電に乗った。そのことがすでに過去との遭遇を意味していた。昔なじんだ場所、いまでは景色の変わってしまった場所に戻っていくようなものだった。ハンナが市電で働いていたころには、市電は二両か三両つなぎで、車両の前後にデッキがあり、昇降用の踏み段がそこについていて、電車が走り出したあとでもまだそこに飛び乗ることができた。車両の中には紐が張り渡してあって、車掌はそれを引いて鳴らし、発車の合図を送っていた。夏には屋根なしのデッキだけの市電というのも走っていた。車掌は乗車券を売り、鋏を入れ、検札し、停留所の名前を知らせ、出発の合図をし、デッキでひしめき合っている子どもたちに気を配り、飛び乗ったり飛び降りたりする乗客に注意を与え、車両が満員のときには乗せないようにした。陽気な車掌、ユーモアのある車掌、まじめな車掌、無愛想な車掌、乱暴な車掌。車掌の気質や気分によって、しばしば車内の雰囲気も決まるのだった。シュヴェッツィンゲン行きの市電に乗ってハンナを驚かす計画が失敗したあと、ぼくがハンナを勤務中に待ち伏せしたり、ハンナの電車に乗ってみたりしなかったのは、思えば愚かなことだった。

ぼくはワンマンの市電に乗ってベルク墓地まで行った。寒い秋の日で、空には雲がないかわりにもやがかかっていて、黄色い太陽には地上のものを暖める力はなく、直視しても目が痛くなることもなかった。葬式らしい荘厳な雰囲気が漂っているその墓を見つけるまで、しばらく歩き回らなくてはならなかった。古い墓石のあいだの、背の高い、落葉した木々の下をぼくは歩いていった。ときおり、墓地に雇われている庭師や、じょうろや園芸用鋏を持った老婦人に出会った。とても静かで、教授の墓で歌われている賛美歌が、もう遠くから聞こえてきた。

ぼくは脇の方に立って、それほど数の多くない参列者たちを眺めていた。そのなかには一見して変わり者とわかる人々が混じっていた。教授の人生と業績についての弔辞からは、教授自身が社会の圧力から身を引き、社会との接点を失っていって、孤高の道を歩むと同時にいささか偏屈にもなっていった、ということがうかがえた。

参列者のなかに、以前強制収容所のゼミで一緒だった男がいた。彼はぼくよりも早く国家試験に合格し、最初は弁護士になり、いまは居酒屋の経営者になっていた。真っ赤な長いコートを着てきた彼は、式が終わってぼくが墓地の入り口に向かって歩いていると、話しかけてきた。

「たしか一緒のゼミだったよね——もう覚えていないかな?」

「いや、覚えてるとも」

ぼくたちは握手を交わした。

「ぼくはいつも水曜日に裁判所に行っていた。ときどき車に君を乗せたっけね」

彼は笑った。

「君は毎日裁判を傍聴していたね。毎日、毎週。どうしてだったのか、いまなら教えてくれるかい?」

彼はぼくを見た、人が好さそうに、こちらをうかがうように、そしてぼくは、ゼミに出ていた当時からこのまなざしが気になっていたことを思い出した。

「あの裁判にはとりわけ興味があったんでね」

「とりわけ興味があったって?」

彼はまた笑った。

「裁判か、君がいつも見つめていたあの被告人か、どっちに興味があったんだい？　なかなか魅力的な女性だったね？　ぼくたちはみんな、君と彼女のあいだにどんな関係があるのかと噂したものだったよ。ただ、君に直接尋ねる勇気はなかったね。当時のぼくたちはみんな、びっくりするほど思いやりに満ちていたからね。覚えてるかい……」

彼はゼミの参加者の中に、どもりで舌足らずな発音をする男がいたという話をした。その男はおしゃべりで、馬鹿なことをあれこれ話したが、ぼくたちはまるでその言葉が純金であるかのように傾聴したものだった。彼はその他のゼミ参加者の話もあれこれと持ち出して、彼らが当時どんなふうだったか、いまは何をしているのかを話した。彼は際限なくしゃべりまくった。けれどもぼくには、彼が最後にもう一度質問するだろうということがわかっていた。

「さて、君とあの被告人にはどんな関係があったのかな？」

ぼくにはどう答えたらいいのか、嘘をつくべきか、告白するべきか、答えを避けるべきか、わからなかった。

ぼくたちは墓地の入り口に来ていた。そこで彼がその質問をした。停留所ではちょうど市電が動き出したところで、ぼくは「じゃあ」と言うと駆け出した。まるでいまでも踏み段に飛び乗ることができるように。そして、電車と並んで走ると、平手でドアを叩いた。すると、信じられない、思ってもみなかったことが起きたのだ。市電がもう一度停車し、ドアを開けてぼくを乗せてくれたのだった。

4

修習期間が終わると、ぼくは仕事を選ばなければならなかった。ぼくは決断までしばらく時間をおいた。ゲルトルートはすぐに裁判官として働き始め、やることがいくらでもあったから、ぼくが家にいてユリアの面倒を見られるのは好都合でもあった。ゲルトルートが最初の困難を乗り越え、ユリアも幼稚園に行くようになると、決断のときがやってきた。

決断はむずかしかった。ハンナに対する裁判で法律家たちが演じた役割のどれにも、自分を当てはめることができなかった。告発という行為は、弁護と同じくらいグロテスクな単純化に思えたし、裁くことは単純化の中でもそもそも一番グロテスクな行為だった。行政部門で働く公務員になるのも耐え難かった。修習生のときに地方裁判所で仕事をしたが、裁判所の部屋、廊下、匂い、職員、どれも灰色で不毛で陰鬱に感じられた。

そう考えていくと、法律関係の職業につく可能性はもうあまり残されていなかった。もし法史学の教授が自分のところで働くように声をかけてくれなかったら何をやっていたのか、ぼくにはわからない。あなたは人生への挑戦と責任から逃げている、とゲルトルートは言った。彼女の言うことはもっともだ。ぼくは逃げたのだし、逃げることができてほっとしていた。永遠に逃避するわけじゃないさ、ぼくはまだ若いんだし、何年か法史学をやったあとで、実質的な法律職に就くこともまだできるよ、とぼくは彼女に言い、自分にも言い聞かせた。しかし、結局それは永遠の逃避になってしまった。大学から研究施設に移ったとき、それは最初の逃避に続く第二の逃避を意味していた。ぼくはそこに自分の居場所を見つけ、自分の法史学的な関心を追究し続けることができ、誰も必要とせず、誰を邪魔することもなかった。

逃避というのは、逃げ去ることではなく、到着することでもある。法史学者としてぼくが取り組んだ過去の問題は、現代の問題と比べても決して遜色のない、アクチュアリティーのあるものだった。過去を対象とする場合はその中にある人生の問題をただ観察するだけで、現代を扱う場合のようにその問題に参加するわけではない、と部外者なら考えるかもしれないが、実際はそうではなかった。歴史を学ぶということは、過去と現在のあいだに橋を架け、両岸に目を配り、双方の問題に関わることなのだ。ぼくの研究分野の一つは第三帝国時代の法律だった。この分野ではとりわけ、過去と現在の問題を現実の中でどのように析出していくかが主眼となる。逃避とみまごうぼくの研究は、過去に拘泥するのではなく、過去の遺産に目を向けようとしない現在と未来のありかたを、断固集中的に取り上げるものだった。ぼくたちは過去の遺産によって形作られ、それとともに生きなければならないのだから。

と同時にぼくは、現在にとってあまり意味のない過去の問題に埋没することで、充足感を得てもいた。啓蒙主義時代の法律や法案のことを研究していたとき、ぼくは初めてそうした充足感を覚えた。当時の法律は、世界はよき秩序のもとに構想されたものであり、よき秩序の中に入れられなければならない、という信念に基づいて作られていた。よき秩序の荘厳な番人としてこうした信念のもとでどのような条項が作られ、法律に加えられていったかを研究し、それらの法律が美の概念にかなうものであることを目指し、その美しさによって真実を証そうとしているのに気づいたぼくは、すっかり幸福な気分になった。ぼくは長いあいだ、法律の歴史には進歩があるのだと信じていた。恐ろしい反動や退行はあっても、一方にはより美しく、真実で、合理的で、人間的なものへの発展があるはずだ、と。そんな確信が幻想に過ぎないことに気づいて以来、ぼくは法律の歴史について別のイメージを抱いている。法律はある目的に向かって発展してはいくが、多種多様な揺さぶりや混乱、幻惑などを経てたどり着く先は、結局またもとの振り出し地点なのだ。そして、そこに戻ったかと思うと、またあらためて出発しなくてはいけない。

ぼくは当時『オデュッセイア』を再読していた。初めて読んだのはギムナジウムの生徒のときだったが、帰郷の物語としてずっと記憶にとどめていた。しかし、それは帰郷の話などではなかった。同じ流れに二度身を任せることができないと知っていたギリシャ人たちにとって、帰郷など信じられないことだった。オデュッセウスはとどまるためではなく、またあらためて出発するために戻ってくる。『オデュッセイア』はある運動の物語にほかならない。その運動には目的があると同時に無目的でもあり、成功すると同時に無駄でもある。法律の歴史だってそれと大差ないのだ!

5

最初は『オデュッセイア』だった。ゲルトルートと別れてから、ぼくはその本を読み始めた。ぼくは幾晩も熟睡できなかった。目を開けたままベッドに横になり、明かりをつけて本を手に取ると、まぶたが閉じてしまう。本を脇に置いて明かりを消すと、また目が覚める始末だった。そんなわけで、ぼくは声を出して読み始めた。そうすればまぶたが閉じるなんてことはなかった。ぼくは自分の結婚のこと、娘のこと、人生のことを考えた。混乱し、思い出や夢が混入し、苦しい悪循環をくり返す夢うつつのぼくの思考でもハンナが中心的役割を演じていたので、ぼくはハンナのために読んだ。ぼくは朗読をハンナのためにカセットに吹き込んだのだ。

そのカセットを送るまでに、何か月も間があった。最初は部分的に送るのではなく、『オデュッセイア』全体を録音し終わるまで待とうと思ったのだった。それから、ハンナが『オデュッセイア』を充分おもしろいと思ってくれるかどうか、こころもとなくなってきた。それで、『オデュッセイア』のあとに読んだシュニッツラーとチェーホフの短編もテープに吹き込んだ。ハンナに判決を下した裁判所に電話して、彼女がどこで刑に服しているか訊くのも、ぼくは延ばし延ばしにしていた。しかし、最後にはすべてがそろった。彼女が裁判にかけられた町の近くにある刑務所の住所も、カセットテープレコーダーも、チェーホフから、シュニッツラー、ホメロスにいたるまで番号をつけられたカセットも。ついにぼくはテープレコーダーとカセットテープを入れた小包を発送した。

最近ぼくは、ハンナのために何年にもわたって朗読した作品名を書き記しておいたノートを発見した。最初の十二の作品名は同時に書き入れたものだ。ぼくは当初やみくもに朗読していき、途中で、メモをつけなくてはこれまで読んだものを覚えていられないことに気づいたのだ。それに続く作品名のところにはときおり年月日が書き込まれており、ときには何も書いてないこともあるが、日付が書かれていなくても、最初にカセットを送ったのが彼女の服役後八年目のことであり、最後に送ったのが十八年目のことだったのは覚えている。十八年目に、彼女の恩赦が認められた。

ぼくはたいてい、自分がちょうど読みたいと思っているものをハンナのために朗読した。『オデュッセイア』を読み始めたころは、声を出していると、黙読するときのように集中して内容を読みとるのがむずかしく思えた。しかし、それはだんだん楽になっていった。朗読の欠点として、時間がかかるという点は変えようがなかった。しかしその代わりに、読んだことがよりよく記憶に残った。まだ今日でも、いくつかの作品をはっきりと思い浮かべることができる。

ぼくはしかし、自分がすでに読んだことがあって、気に入っていた作品も朗読した。そんなわけでハンナはケラーやフォンターネ、ハイネやメーリケの作品をたくさん受け取ることになった。詩の朗読は長いあいだやる気になれなかったが、やってみると楽しかったし、朗読した一連の詩を暗記してしまったほどだった。それらの詩はいまでも暗唱できる。

全体としてみると、ノートに書かれている作品名は、市民的教養のある人には馴染みのものばかりである。カフカやフリッシュ、ヨーンゾンやバッハマン、レンツなどから発展して、さらに実験的な文学を朗読してみる気になったことがあるかどうかは思い出せない。実験的な文学にはあらすじがなく、登場人物も好きになれない。ぼくの理解としては、実験小説は読者を使って実験するものであって、ハンナやぼくには必要ないものだった。

自分で執筆を始めたとき、ぼくはそれも朗読した。手書きの原稿を朗読し、タイプしてもらった原稿にさらに手を加え、これで完成という気持ちになれるときまで待ってから読んだ。朗読してみると、自分の気持ちが正しかったかどうかがわかった。原稿に満足できないときには、もう一度全体に手を加え、古い朗読の上に新しい朗読を吹き込めばよかった。でも、やり直しはあまり好きではなかった。最初の朗読でやめておきたかった。ハンナはぼくにとって、すべての力、創作力、批判的想像力を束ねる存在になった。その作業のあとで、ぼくは出版社に原稿を送ろうという気になれた。

カセットには、個人的なコメントは入れなかった。ハンナに問いかけることも、ぼく自身について報告することもしなかった。作品のタイトルを言い、著者の名前を言うだけで、あとはテクストの朗読をした。テクストを読み終えると、ぼくはしばらく待ってから、本を閉じ、ストップのボタンを押した。

6

カセットによる多弁で寡黙なぼくたちの接触の四年目に、彼女からの挨拶が届いた。

「坊や、この前のお話は特によかった。ありがとう。ハンナ」

その紙には線が引いてあった。書き方練習帳から一ページを破って、皺を伸ばしたものだった。その挨拶は上の方に書かれていて、三行にわたっていた。文字は青の、インクの出が悪いボールペンで書かれている。ハンナが力を込めて文字を書いたために、文字が紙の裏にまで浮き上がっていた。住所も力一杯書いてあって、真ん中でたたんで封筒に入れた紙の上半分と下半分に住所が筆圧で写っていて、読むことができた。

ぱっと見ると、まるで子どもが書いた字のようだった。しかし、子どもの場合には不器用でぎこちないという表現が当てはまるのだろうが、彼女の場合は力ずくといってよかった。線を文字に、文字を単語にするために、ハンナが克服しなければならなかった抵抗のあとを見ることができた。あっちこっちへそれたがる子どもの手は、文字のきまりのなかにとじこめておかなければいけない。しかし、ハンナの手はどこへも行きたがっておらず、無理矢理前へ進ませなければならなかった。文字を形成する線は、上へ行ったり下へ行ったり弧や輪を描いたりする際にぷつぷつと途切れ、また新しく書き始められていた。どの文字も、新たな戦いの成果であり、規格外の斜線や急カーブがくっついていたし、しばしば長すぎたり幅が広すぎたりした。

ぼくはハンナの手紙を読んだ。そして、歓喜に満たされた。

「彼女は書ける、書けるようになったんだ!」

それまでの何年にもわたって、ぼくは文盲についての記事を探しては、目を通してきた。文盲の人々が日常生活を送る際の寄る辺なさや、道や住所を見つける際の困難、レストランで料理を選ぶときの大変さ。与えられた模範や確立されたルーティーンに従う際の不安や、読み書きができないことを隠すために、本来の生活とは関係のないところで費やされるエネルギー。そうした事情をぼくは知るようになった。文盲であるということは、市民としての成熟に達することができない、ということだった。ハンナが読み書きを習う勇気を持ってくれたことは、未成熟から成熟への一歩を踏み出したことでもあり、それは啓蒙への一歩だった。

それからぼくはハンナの筆跡を見、書くことが彼女にとってどれほどの力と戦いを必要とすることだったかを理解した。彼女を誇らしく思った。と同時に、その努力が遅すぎたことや、彼女の人生が失われてしまったことを思って悲しくもあった。正しいタイミングを逸してしまい、あまりにも長いあいだ拒んだり、拒まれたりしていたら、最終的に力を注いだり、喜びを持って取り組んだりしても、もう遅すぎるのだ。それとも「遅すぎる」ということはなくて、単に「遅い」というだけであり、遅くてもやらないよりはましということなのか? ぼくにはわからない。

最初の挨拶のあと、次の手紙が一定の間隔で届くようになった。いつもほんの二、三行で、お礼とか、あの作家の作品がもっと聞きたいとか聞きたくないというような希望とか、ある作家や詩、ストーリーや小説の登場人物についての感想、刑務所で気づいたことなどが書かれていた。「中庭ではもうレンギョウが咲いてます」とか、「この夏は雷がたくさん鳴るのがいいですね」とか、「窓から鳥たちが南へ渡る準備をして群れているのが見えます」など。ぼくはよく、ハンナからの手紙のおかげで初めてレンギョウや雷や鳥の群に気づいたものだった。文学についての彼女のコメントは、しばしば驚くほど正確だった。「シュニッツラーが吠えるのに比べて、シュテファン・ツヴァイクは死んだ犬のようです」とか、「ケラーには奥さんが必要ですね」とか、「ゲーテの詩はきれいな額縁に入れた小さな絵のようです」「レンツはきっとタイプライターで書いているのでしょうね」など。彼女は作家について何も知らなかったので、そんなことはあり得ないとはっきりわかる場合を除いて、どの作家もみんな現代人だという前提で感想を書いてきていた。事実、多くの古い文学作品がまるで今日の話のように読めることや、歴史の知識のない者から見れば、過去の生活環境というのは、遠い地域にいまでも存在している生活環境として理解できることを知って、ぼくは驚いた。

ぼくからハンナには何も書かなかった。しかし、朗読テープはどんどん送り続けた。一年間アメリカに滞在したときも、そこからテープを送った。休暇で出かけるときや、特別仕事が忙しいときには、次のカセットが完成するまでに間があくこともあった。決められたリズムはなく、毎週テープを送ることもあれば、十四日で一本、あるいは三、四週間で一本ということもあった。字を読めるようになったハンナにはぼくのカセットはもう必要ないのではないか、と頭を悩ませることはなかった。彼女が自分で読むことは構わない。朗読がぼくの流儀であり、彼女に対して話しかけ、ともに話をする方法だった。

彼女からの手紙は全部とっておいた。筆跡は変わっていった。最初、彼女は文字を同じ方向にそろえ、正しい長さや幅にしようと奮闘していた。それができるようになってからは、筆跡も軽く、確かなものになっていった。しかし、流れるような筆跡になることはなかった。しかし、生涯にそれほど多くの字を書かなかった年配者たちの筆跡にふさわしい、ある種の厳しい美しさがその筆跡にはあった。

7

あの当時、ハンナがいつの日か釈放されるとは考えたこともなかった。挨拶とカセットを交換するのがぼくにとって通常の、親しみ深い状態であり、ハンナもそうした緩やかな形で関わっている限り近くて遠い存在で、ぼくはその状態をずっと続けていてもいいと思っていた。気楽でエゴイスティックな関係だとはわかっていたが。そんなとき、刑務所の女性所長から手紙が来た。

「シュミッツさんとあなたは何年も前から手紙でコンタクトを取っておられますね。シュミッツさんが連絡をとっておられる方は他にいらっしゃいませんので、あなたがどれくらいシュミッツさんと親しいのか、親戚の方かご友人かも存じ上げませんが、こうして手紙を出させていただくことにいたしました。来年シュミッツさんはまた恩赦願いを出す予定ですが、わたしの予想では、委員会も今度はそれを認めるだろうと思います。そうなれば、十八年の服役生活に終止符を打って、すぐに出所することになるでしょう。もちろん当方でも彼女のために職を探し、住居を探す努力はいたします。仕事の方は、彼女の年齢では少しむずかしいかもしれません。シュミッツさんはまだ健康ですし、刑務所の縫製所では大変器用に仕事をしてはいるのですが。しかし、わたしたちが彼女の世話をするよりも、親戚か友人の方がそれをして下さって、出所したあともそばにいてやり、支えて下さる方がずっといいのです。十八年の刑務所生活のあとで外に出た人が、どんなに孤独で心細く思うか、あなたには想像できないでしょう。シュミッツさんは自分のことはかなり何でもできますし、一人でも充分やっていけます。あなたは彼女に小さなアパートと仕事を探して下さって、最初の何週間か何か月のあいだ、彼女をときどき訪ねたり招待したりして、教会や成人教室や家族教育センターなどが出している案内が彼女の目に留まるようにして下さればいいのです。十八年の刑務所生活のあとでは、街に行って買い物したり、役場に出向いたり、レストランに入ったりするのも容易ではありません。誰かが一緒に行って下されば、それも楽になります。あなたがシュミッツさんを訪問されないことに、わたしも気づいております。もし訪問されるようでしたら、こんな手紙ではなく、刑務所においでになった際にお話ししていたでしょう。いまとなっては、彼女が出所する前に一度おいで下さるようにお願いしないわけにはいきません。その折りにはどうぞわたしのところにお寄り下さいますように」

その手紙は「心を込めて」という挨拶で結ばれていたが、それはぼくに向けられたというより、所長にとってこの件が心にかかっている、という意味にぼくには思えた。その所長のことは耳にしていた。彼女の刑務所は特別だという評判だったし、刑の執行を見直す際にも、彼女は発言力を持っていた。彼女の手紙はぼくの気に入った。

しかし、ぼくに課せられた役割は気に入らなかった。もちろんぼくは彼女の仕事とアパートを探してあげるべきだと思ったし、実際に探し出した。アパートつき住居に住んでいて、アパートの部分を使いもせず貸してもいない友人がいて、それをハンナにわずかな家賃で使わせてくれることになった。ぼくがときどき洋服のリフォームを頼むギリシャ人の仕立屋が、それまで一緒に仕立屋をやっていた彼の姉がギリシャに帰国することになったというので、ハンナを雇ってくれることになった。ハンナが何かを始めるよりずっと前から、ぼくは教会や世俗の施設の社会サービスや教養コースの情報を集めていた。しかし、ハンナを訪問することは、延ばし延ばしにしていた。

ハンナとはまさに自由な関係で、お互い近くて遠い存在だったからこそ、ぼくは彼女を訪問したくなかった。実際に距離をおいた状態でのみ、彼女と通じていられるのだという気がしていた。挨拶とカセットだけからできている小さくて軽くて安全な世界はあまりにも人工的でもろいものなので、実際の近さには耐えられないのではないかと不安だった。ぼくたちのあいだにあったことを蒸し返さないまま、顔を合わせることがどうやってできるのだろうか。

そういうわけで、刑務所への訪問を果たさないまま、その年は過ぎていった。刑務所長からも連絡はなかった。ハンナが出所してからのアパートと仕事のことを書いて送った手紙にも、返事は来なかった。所長はおそらく、ぼくがハンナを訪問した際に話そうと思っているのだろう。訪問を延ばしているだけでなく、それがぼくの悩みの種になっているとは、彼女は知る由もなかった。しかし、ついにハンナの恩赦の決定が下り、所長がぼくに電話してきた。刑務所においで下さいますか？ ハンナさんは来週出所の予定なんです。

8

次の日曜日、ぼくは彼女のところに行った。刑務所に行くのは初めてだった。入り口で身体チェックをされ、中に入るまでにいくつものドアを開け閉めしなくてはならなかった。しかし、建物自体は新しく、明るい感じで、内部ではドアも開け放され、女たちは自由に動き回っていた。廊下の端のドアから外に出ることもでき、中庭には青々とした小さな芝生があって、木やベンチもあった。ぼくはきょろきょろと辺りを見回した。ぼくを連れてきてくれた女性看守は、すぐそばの栗の木の陰にあるベンチを指さした。

ハンナ？　ベンチに座っている女性がハンナなのか？　灰色の髪で、額にも頬にも口元にも深い縦皺が刻まれ、重たげな体つきをしたこの人が？　彼女はちょっとサイズがきつめで、胸や腹や太腿のところで生地がぴんと張っているライトブルーのワンピースを着ていた。膝に置かれた両手には一冊の本があった。しかし、彼女はそれを読んでいるわけではなかった。半円形の読書用眼鏡の端から、彼女は数羽の雀たちにパンくずを投げてやっている女性を見やっていた。それから自分が見つめられていることに気づき、顔をぼくの方に向けた。

ぼくは彼女の顔に浮かんだ期待と、ぼくを認めたときにその期待が喜びに変わって輝くのを見た。近づいていくと彼女はぼくの顔を撫でるように見つめた。彼女の目は、求め、尋ね、落ちつかないまま傷ついたようにこちらを見、顔からは生気が消えていった。ぼくがそばに立つと、彼女は親しげな、どこか疲れたようなほほえみを浮かべた。

「大きくなったわね、坊や」

ぼくは彼女の隣に座り、彼女はぼくの手を取った。

以前は彼女の体臭がとりわけ好きだったものだ。彼女はいつも新鮮な匂いがした。シャワーを浴びたての匂い、洗い立ての洗濯物の匂い、新鮮な汗の匂いやセックスしたときの匂い。どういう製品かはわからなかったが、ときどきつける香水も、とびきり新鮮な香りがした。そんな新鮮な匂いの下に、もっと重くて暗い、苦い香りが隠れていた。ぼくはしばしば、好奇心の強い動物みたいに、彼女の匂いを嗅ぎまわったものだった。シャワーを浴びたばかりの匂いのする首と肩から始め、両胸のあいだで新鮮な汗の匂いを吸い込んだ。その匂いは脇の下では別の匂いと混ざり、その暗くて重い匂いは腰や腹の周りではほとんど混じりけがなくなり、両足のあいだでは果物のような香りになってぼくを興奮させた。ぼくは彼女の両脚も嗅ぎまわった。重たい匂いは太腿のところで消えていたが、膝裏でもう一度新鮮な汗の匂いがし、両足は石鹼や革や疲労の匂いがした。背中と腕には特別な匂いはなく、何の香りもしなかったが、あえて言えば彼女自身の匂いがした。両掌は一日の、仕事の匂いだった。乗車券の黒インクや、金属の鋏の匂い、タマネギや魚や焼いた脂身の匂い、石鹼水や熱いアイロンの匂い。手を洗ってしまえば、そんな匂いはいったん消えてしまうのだが、石鹼の香りは匂いをカバーしているだけで、しばらくたつとまたかすかに匂いがよみがえってくる。その日の仕事の匂い、その日の終わりの匂い、夜の匂い、帰宅の匂い、家にいるときの匂いなどが混ざりあう。

ぼくはハンナの横に座り、老人の匂いを嗅いだ。どうしてそんな匂いになるのかわからなかったが、それは祖母や老いた伯母たちの匂いであり、老人ホームに行くと呪いのように部屋や玄関ホールに漂っている匂いだった。そんな匂いがするにはハンナはまだ若すぎるはずだった。

ぼくはもっと彼女のそばに寄った。さっき近づいてくるときには彼女をがっかりさせてしまったらしいと気づいていたので、今度はもっとうまく、埋め合わせをしようと思った。

「出所できると聞いてうれしいよ」

「ほんとに？」

「そうだよ、それに、近くに来てもらえるのもうれしいよ」

ぼくは彼女に、自分が見つけたアパートと仕事の話をし、その地区の文化的・社会的催しや、市立図書館のことを話した。

「本はたくさん読むの？」

「まあまあね。朗読してもらう方がいいわ」

彼女はぼくを見つめた。

「それももう終わりになっちゃうのね？」

「どうして終わりにする必要がある？」

そう言ったものの、ぼくは彼女にこれからもカセットを送るとか、会って朗読するとかいう相談はしなかった。

「君が字を読めるようになって、とてもうれしかったし感心したよ。なんて素敵な手紙を送ってくれたんだろう!」

これはほんとうだった。ぼくは彼女が字を覚え、手紙を書いてくれたことで、感心したし、喜びもしたのだ。しかし、ハンナが読み書きを覚えるために払った犠牲に比べたら、ぼくの感心や喜びなど取るに足らないものだ、と感じた。彼女に返事を書いたり、訪問したり、一緒に話をすることさえしないぼくの喜びなど、なんてちっぽけなものなのだろう。ぼくは彼女を小さな隙間に入れてやっただけだった。その隙間はぼくにとっては重要だったし、ぼくに何かを与え、ぼくもそのために行動はしたが、隙間は隙間であって、人生の中のちゃんとした場所ではなかった。

しかし、彼女にちゃんとした場所を与える必要があったのだろうか? 彼女を隙間に入れたと考えたときにぼくが感じた良心の呵責のことで、ぼくは自分に腹を立てた。

「裁判で話題になったようなことを、裁判前に考えたことはなかったの? ぼくたちが一緒にいたとき、ぼくが君に本を朗読したとき、そのことは考えなかったの?」

「それがとても気になるわけ?」

彼女はぼくの返事を待たずに続けた。

「わたしはずっと、どっちみち誰にも理解してもらえないし、わたしが何者で、どうしてこうなってしまったかということも、誰も知らないんだという気がしていたの。誰にも理解されないなら、誰に弁明を求められることもないのよ。裁判所だって、わたしに弁明を求める権利はない。

ただ、死者にはそれができるのよ。死者は理解してくれる。現場に居合わす必要はないけれど、もし現場にいたのだったら、とりわけよく理解してくれる。刑務所では死者たちがたくさんわたしのところにいたのよ。わたしが望もうと望むまいと、毎晩のようにやってきたわ。裁判の前には、彼らが来ようとしても追い払うことができたのに」

ぼくが何か言うかと彼女は待っていたが、ぼくには何も思いつかなかった。ぼくは最初、ぼくは何も追い払えないんだと言おうとした。しかし、それは正しくない。誰かを隙間に追いやることで、追い払っていることもあるのだ。

「結婚はしてるの？」

「していたんだけどね。ゲルトルートとはもう何年も前に別れたよ。ぼくたちの娘は寄宿舎に入っている。最終学年になったら、寄宿舎にいないで、ぼくのところに引っ越して来てくれればいいなと思っているんだよ」

今度はぼくの方が、彼女のコメントや質問を待っていた。しかし、彼女は黙ったままだった。

「来週迎えに来るよ、いいね？」

「ええ」

「静かに来ようか、それとも少しにぎやかに、愉快にしようか？」

「静かな方がいいわ」

「わかった。静かに、音楽もシャンペンもなしで迎えに来るよ」

ぼくは立ち上がり、彼女も立ち上がった。ぼくたちは互いに見つめあった。二度ベルが鳴り、他の女たちはもう建物の中へ入っていった。ハンナの目はもう一度ぼくの顔をなぞった。ぼくは彼女を抱きしめたが、しっかりした手応えはなかった。

「元気でね、坊や」

「君も」

そうやってぼくたちは、建物の中で別れる前に、別れの挨拶をしたのだった。

9

その次の週は、特別忙しかった。ぼくはある講演の準備をしていた。その講演が目前に迫っていたのだったか、それとも自分で自分にプレッシャーをかけていただけなのか、もう思い出せない。

講演の準備を始めるにあたってぼくが抱いていたイメージは、役に立たなかった。自分の原稿を読み直してみると、意義や一定の規則を発見したつもりになっていた部分に、次々偶然的な要素を見いだした。妥協するかわりに、ぼくはいらいらと顔をひきつらせ、不安げに、まるでぼくのイメージのおかげで現実そのものがダメになってしまうとでもいうように、よりよい答えを探し続けた。自分の見解を曲げたり、膨らませたり、扱いを軽くすることも辞さないつもりだった。ぼくは奇妙に落ちつかない状態に陥り、夜遅く就寝していったん寝つくことは寝つくのだが、何時間もたたないうちにはっきり目が覚めてしまうので、また起きあがって読んだり書いたりすることになった。

ぼくはハンナの出所の準備の方も進めていた。アパートを整え、規格品の家具やいくつかの古い家具をそろえ、ギリシャ人の仕立屋にもハンナが来ることを通知し、ソーシャルプログラムや教養講座などの最新情報を入手した。食料を買いおきし、棚に本を並べ、壁には絵を掛けた。庭師を呼び、居間の前につけられたテラスを取り囲む小さな庭の手入れをさせた。こちらの仕事もぼくは妙にせわしなく、ひきつった状態で片づけていった。ぼくにはやることが多すぎたのだ。

しかし、ハンナを訪問したときのことを考えないですませるためには、これくらい仕事があってちょうどよかった。ほんのときおり、車を運転しているときや、机に向かっていて疲れたとき、ベッドで目が覚めたときや、ハンナのアパートにいるときなどに、その考えが抑えがたくなり、思い出が噴出した。彼女がベンチでぼくの方を見ている様子やプールサイドでぼくを眺めている様子を思い浮かべ、自分が裏切り者で、彼女には借りがある、という感情に悩まされた。そして、自分の感情にまた腹を立て、彼女を心の中で告発し、こっそり罪から逃れようとする彼女の方法を安っぽいと思ったりした。死者だけが彼女を責めることができるだとか、罪の問題を寝つきが悪いとか悪い夢を見るなどといったこととすり替えてしまう——それじゃあ生きている人々はどうなるんだ？　しかし、ぼくが考えているのは生者ではなくて、実は自分のことだった。ぼくには彼女を責める権利はないというのか？　ぼくはどこに行けばいいんだ？

彼女を迎えに行く前日の午後、ぼくは刑務所に電話した。最初は所長と話した。

「ちょっと心配になってるんです。こんなに長く服役していた人の場合、まず二、三時間か二、三日といった単位で外出してから、出所するのが普通なんです。でもシュミッツさんは外出しようとしませんでした。明日は大変なんじゃないでしょうか」

次にハンナが電話口に出された。

「明日はどうするか、考えておいてよ。すぐに家に行きたいか、それとも森か川にでも行きたいか」

「考えてみるわ。あんたは相変わらずすごい計画家なのね？」

この言葉はぼくをむっとさせた。ガールフレンドたちからときおり、ぼくには自発性がなくて、頭でばかりものを考え、お腹で考えることがないと非難されるときと同じように腹を立てていた。

彼女はぼくが気を悪くして黙り込んだのに気づいて笑った。

「怒らないで、坊や。悪い意味で言ったんじゃないから」

刑務所で再会したハンナは、ベンチの上の老人になっていた。彼女は老人のような外見で、老人のような匂いがした。あのときのぼくは、ぜんぜん彼女の声に注意していなかった。彼女の声は、まったく若いときのままだったのだ。

10

翌朝、ハンナは死んだ。夜が明けるころに首を吊ったのだった。

刑務所に着いたぼくは、所長のところに案内された。会うのは初めてだった。濃いブロンドの髪をした痩せた小柄な女性で、眼鏡をかけていた。話し始めるまでは目立たない感じだったが、話し出すと力と暖かさに満ちていて、まなざしは厳しく、手と腕はエネルギッシュに動いた。彼女はぼくに、昨晩の電話での会話と、先週の訪問の際のことを尋ねた。何かそんな兆候を感じたり、不安に思ったりしたことはありませんでしたか。ぼくは否定した。何かの予感や不安があったのに、それをわざと忘れようとしたわけでもなかった。

「あなた方はどこで知り合われたのですか？」

「ぼくたちは近所に住んでいました」

彼女は試すような目でぼくを見た。ぼくはもっと説明しなくてはいけないことに気づいた。

「ぼくたちは近所に住んでいて、知り合いでもあり、友人でもありました。学生だったときに、彼女が判決を受けたあの裁判を傍聴したのです」

「どうしてシュミッツさんにカセットを送ったのですか？」

ぼくは黙った。

「シュミッツさんが文盲だということをご存じでしたね？　どうしてそのことをご存じだったんですか？」

ぼくは肩をすくめた。ハンナとぼくのことが所長に関係あるとは思えなかった。胸にも喉にも涙がいっぱい詰まっていて、話せないのではないかと不安だった。所長の前で泣きたくなかったのだ。

彼女はぼくの状態を見て取ったようだった。

「一緒においで下さい。シュミッツさんの独房をお見せしますわ」

彼女は先に立って歩いていったが、ぼくに何か報告したり説明しようとして、ひっきりなしに振り返った。ここがテロリストの襲撃のあった場所だとか、ここがハンナの働いていた縫製所だとか、ここでハンナが一度、図書予算の削減が撤回されるまで座り込みのストライキをしたとか、ここが図書室に行く通路だとか。独房の前で彼女は立ち止まった。

「シュミッツさんは荷造りをしませんでした。独房は、彼女がいたときのままになっています」

ベッドがあり、戸棚とテーブルと椅子があり、テーブルの上の壁には棚が、ドアの後ろの隅には洗面所とトイレがあった。窓ガラスのかわりにブロック形のガラスがはめ込まれていた。机の上には何もなかった。棚には本と、目覚まし時計、ぬいぐるみの熊、コップが二つ、インスタントコーヒーとお茶の缶があり、テープレコーダーと、下の二段にわたってぼくの吹き込んだカセットが並んでいた。

「これで全部ではありませんよ」

ぼくの視線を追っていた所長が言った。「シュミッツさんはいつも、目の見えない囚人の介助をしている人たちに、カセットを何本か貸してあげていました」

ぼくは棚のところに寄った。プリモ・レヴィ、エリ・ヴィーゼル、タデウシュ・ボロフスキ、ジャン・アメリー……。ナチの犠牲者たちの本と並んで、ルドルフ・ヘスの伝記や、エルサレムでのアイヒマン裁判についてのハンナ・アーレントのレポートや、強制収容所についての研究書もあった。

「ハンナはこれらの本を読んだのですか？」

「いずれにせよ、彼女はよく考えたうえでこれらの本を注文していました。もう何年も前に、強制収容所についての一般的な図書リストを手に入れてほしいと頼まれましたし、一、二年前には強制収容所にいた女性たち、囚人や看守たちについての本を教えてほしいと言われました。わたしは現代史研究所に手紙を書いて、それに対応する図書の特別リストを送ってもらいました。字が読めるようになってから、シュミッツさんはすぐに、強制収容所についての本を読み始めたんですよ」

ベッドの上にはたくさんの絵や紙切れがぶら下がっていた。ベッドにひざをついて読んでみると、引用や、詩や、ちょっとしたお知らせや、ハンナが書き留めた料理のレシピ、新聞や雑誌から切り取った絵などだった。「春は青いリボンをまた風になびかせる」とか、「雲の影が畑の上を逃げていく」など、詩はどれも自然についての喜びやあこがれに満ちていた。絵には春の明るい森とか、花で彩られた牧草地、秋の木の葉や一本一本の木々、小川のほとりの柳や、熟れた赤い実をつけた桜の木、秋らしく黄色やオレンジの炎の色に染まった栗の木などが描かれていた。新聞の写真には黒い背広を着た年輩の男と若者が写っていて、互いに握手しあっていた。年輩の男の前でおじぎしている若者はぼくだった。ぼくはギムナジウム卒業試験に合格し、卒業式の際に校長から何かの賞を贈られたのだ。それはハンナがぼくたちの町を去ってからずっとあとのことだった。字の読めない彼女が、この写真の載っていた地方新聞を定期購読していたのだろうか？いずれにしても、この写真のことを聞きつけ、手に入れるまでには、面倒な手続きがあったに違いない。裁判のあいだも、彼女はこの写真を持っていたのだろうか、身近においていたのだろうか？ ぼくはまた胸と喉に涙がこみ上げてくるのを感じた。

「彼女はあなたと一緒に字を学んだんですよ。あなたがカセットに吹き込んで下さった本を図書室から借りてきて、一語一語、一文一文、自分の聞いたところをたどっていったんです。あまり何度もカセットを停めたり回したり、早送りしたり巻き戻したりしたので、レコーダーがそれに耐えられなくて、何度も壊れてしまい、修理が必要になったんです。修理には許可が必要なので、わたしもとうとう、彼女のやっていることを聞きつけたというわけです。彼女は最初、自分のしてることを言いたがらなかったのですが、字を書き始めて、自分で本の題名を書いてわたしに頼むようになってからは、もうあまり隠そうとはしませんでした。彼女は読み書きができるようになったことをほんとうに誇りに思っていて、その喜びを誰かに伝えたかったんでしょうね」

所長が話しているあいだ、ぼくはまだひざをついたまま絵やメモを眺めていて、こみあげてくる涙とひそかに闘っていた。ぼくが振り返ってベッドに腰掛けると、彼女は言った。

「彼女はあなたから手紙がいただけることを期待していたんです。彼女に何か送って下さるのはあなただけでした。郵便物が配られるとき、彼女は『わたしへの手紙はありませんか?』と尋ねたものでした。彼女の言う『手紙』は、カセットの入っている小包のことではありませんでした。どうしてあなたは彼女にお書きにならなかったんですか?」

ぼくはまた沈黙した。話すことはできなかった。できるのはせいぜい、どもることか泣くことぐらいだった。彼女は棚のところに行き、お茶の缶を取ると、ぼくの隣に腰掛け、スーツのポケットから折り畳んだ紙を取り出した。

「シュミッツさんは手紙を残していきました。遺書のようなものです。あなたに関する部分を読み上げます」

彼女は紙を広げた。

「紫色のお茶の缶にはまだお金が入っています。それをミヒャエル・ベルクに渡して下さい。銀行に入っている七千マルクと一緒に、教会の火事の際に母親とともに生き延びたあの娘さんに渡してほしいのです。そのお金をどうするかは、その娘さんに決めてもらって下さい。そして、ミヒャエル・ベルクに、わたしからの挨拶を伝えて下さい」

ハンナはぼくにそれ以上のメッセージを残さなかったのだ。ぼくを侮辱したかったのか? 罰したかったのか? それとも、彼女の魂はあまりにも疲れていて、必要最小限のことをしたり、書いたりするので精一杯だったのか?

「彼女はずっとどんな様子だったんですか」

ぼくは自分がまた話せるようになるのを待って尋ねた。

「そして、この数日間はどんな様子でしたか？」

「長いあいだ、修道院にいるような生活をしていましたね。まるで自発的にここに来たかのように。ここの規則にも自分から進んで従っているようでしたし、いささか単調な仕事も彼女にとっては瞑想の一部のようでした。他の囚人たちに対しては親切でしたが距離をおいていて、みんなからの人望には特に厚いものがありました。いいえ、それ以上に、彼女には一種の権威があって、問題が起これば助言を求められましたし、喧嘩の仲裁に入っても、彼女が決めることならみんなが受け入れました。数年前に、彼女が投げ出してしまうまではね。それまでの彼女はいつもきちんとしていて、骨太ではありましたがスマートで、徹底した清潔好きでした。ところが彼女はその後たくさん食べ始め、めったに身体を洗わなくなり、肥満して匂うようになりました。でも、不幸だったとか不満だったわけではないようでした。たぶん、修道院にいるだけでは足りなくて、修道院の中でさえ仲間ができたりおしゃべりになったりするので、もっと孤独な庵へ、もう誰からも見られず、外見や服装や体臭などが意味を持たない世界へ引きこもらなくてはならない、ということだったのでしょう。いいえ、投げ出すという言い方は間違いでした。彼女は自分の居場所を新しく定義したのです。自分にとって正しいやり方で。それが他の女性たちにはもう感銘を与えなかった、ということです」

「最後はどうだったんですか？」

「いつもと同じでした」

「彼女を見てもいいですか？」

所長はうなずいたが、座ったままだった。

「何年も孤独な暮らしをしていると、世間が耐え難くなってしまうものなのかしら？　修道院から、住み慣れた場所から世間に戻るくらいなら、自殺した方がましなのかしら？」

彼女はぼくの方を向いた。

「どうして自殺するのか、シュミッツさんは書きませんでした。そしてあなたも、あなた方二人のあいだに起こったこと、あなたが迎えに来る前の夜にシュミッツさんが自殺する原因になったかもしれないことを話そうとはされません」

彼女は紙を畳むとポケットに入れ、立ち上がってスカートの皺を伸ばした。

「彼女の死はショックです。そしていまこの瞬間、わたしはシュミッツさんにもあなたにも腹を立てています。でも、もう行きましょう」

彼女はまた先に立ち、今度は無言で歩いていった。ハンナは病棟の小さな部屋に安置されていた。壁と棺台のあいだに歩み入るのがやっとだった。所長は遺体の顔の布を外した。

ハンナは、死後硬直が起こるまで顎が下がらないように、顔の周囲を布でしばられていた。表情は、とりわけ安らかでもなければ苦しそうでもなかった。こわばった死人の顔だった。長いこと見つめていると、死んだ顔の中に生き生きした表情が、老いた顔の中に若いときの顔が表れるように感じた。きっと年老いた夫婦の場合もこんなふうなんだろうな、と思った。妻にとっては老いた夫の中に若いときの姿が保たれており、夫にとっても若いときの妻の美しさと優雅さが老いた姿の中に重ね合わされているのだ。どうしてぼくはこの輝きに、一週間前には気づかなかったのだろう?

ぼくは泣かずにすんだ。しばらくの後、所長が尋ねるような目でこちらを見たときにぼくはうなずき、彼女はまたハンナの顔に布をかぶせた。

11

秋になってようやく、ハンナの遺志を実現することができた。生き延びた娘はニューヨークに住んでおり、ぼくはボストンでの会議に参加するついでに、彼女に金を届けることにした。貯金通帳に残っていた金額を記した小切手と、お茶の缶に入った現金と。ぼくは娘に手紙を書き、自分は法史学者であると自己紹介して、裁判のことに言及した。お会いできればうれしいのですが。彼女はぼくをお茶に招待した。

ぼくは列車でボストンからニューヨークまで行った。森は茶、黄、オレンジ、赤茶や錆色に彩られ、カエデの木の、燃え立ち輝く赤で飾られていた。ハンナの独房にあった秋の風景画を思い出した。車輪の回転や揺れで疲れてくると、ぼくは夢を見た——列車が走っている秋の丘陵で一軒の家にいるハンナとぼくの夢だった。夢の中のハンナは知り合ったころよりも年をとっていたが、再会したときよりは若かった。いまのぼくより年上で、以前より美しく、年をとってはいても動作は落ちついていて、身体の動きもしっくりとしていた。ぼくはハンナが自動車から降り、買い物袋を腕にかけ、庭を通って家の中に入るのを見た。それから彼女は買い物袋を置き、ぼくの前で階段を上がっていった。ハンナへのあこがれはどんどん強まり、胸が痛くなるほどだった。ぼくはあこがれの気持ちにあらがい、こんな夢はハンナとぼくの現実にまったくそぐわないし、ぼくたちの現実の年齢や生活の状態にも合致していないと思おうとした。英語を話せないハンナがどうしてアメリカにいるんだ？　彼女は車の運転だってできなかったし。

ぼくは目を覚まし、ハンナがもう死んでいることを思い出した。現実のハンナがいなくなっても、ぼくのあこがれの気持ちがまだ彼女に執着し続けていることにも気づいた。それは、家に帰りたいという気持ちでもあった。

あの娘はニューヨークで、セントラルパークの近くの小さな通りに住んでいた。通りの両側に、黒っぽい砂岩で建てられた古いテラスハウスが並んでおり、それぞれの住宅に、建物と同じ砂岩の外階段がついていて、二階に上がれるようになっている。通りは厳しい外観を保っていた。家が次々に並び、正面はほとんど同じデザインで、階段が次々に続いている。街路樹は一定の距離をおいて最近植えられたばかりで、細い枝にわずかばかりの黄色い葉がついていた。娘は正方形の敷地内にある小さな庭を見おろせる大きな窓辺にテーブルをしつらえ、お茶をいれてくれた。庭には緑の葉や色とりどりの葉が混ざっている場所と、がらくたを集めただけの場所とがあった。ぼくたちが席に着き、お茶が注がれ、砂糖を入れてかき回しているあいだに、最初ぼくに英語で挨拶した娘は、ドイツ語で話し始めた。

「どうしてわたしのところへいらっしゃったの？」

その聞き方は親切でもなければ不親切でもなく、非常に事務的な調子だった。態度も、しぐさも、服装も、彼女のすべてが事務的な印象を与えた。彼女の顔は奇妙に年齢不詳だった。美容整形で皺を伸ばした顔はよくこんなふうになる。だが、ひょっとしたら彼女の顔は、昔受けた苦しみのためにこわばってしまったのかもしれなかった。裁判のときの彼女の顔を思い出そうとしてみたが、うまくいかなかった。

ぼくはハンナの死と遺言のことを話した。

「どうしてわたしに？」

「おそらくあなたが唯一の生存者だからでしょう」

「そのお金で何をすればいいの？」

「あなたが有意義だと思われることでしたら何でも」

「それでシュミッツさんを許してやれとおっしゃるの？」

ぼくは最初、そんなことはないと言おうとした。しかし、ハンナは実際、多くのことを求めていたのだ。服役した歳月は、他者から課された償いの日々というだけではなかった。ハンナ自身がそれらの日々に意味を与え、意味を与えることで他者からも認められることを望んでいたのだ。

ぼくは娘にそう言った。

彼女は首を横に振った。ぼくの解釈を否定するつもりなのか、ハンナの意図を認めることを拒んでいるのかはわからなかった。

「彼女を許さなくても、認めてやることはできませんか?」

彼女は笑った。

「あなたは彼女がお好きなのね? あなたたちはどういうご関係でしたの?」

ぼくは一瞬ためらった。

「ぼくは彼女の朗読者でした。ぼくが十五歳のときに朗読を始めて、彼女が刑務所にいるときもそれは続きました」

「いったいどうやって……」

「ぼくは彼女にカセットを送ったんです。シュミッツさんはほとんど一生のあいだ、文盲でした。刑務所でようやく読み書きを覚えたんです」

「あなたはどうしてカセットを送ったりなさったの?」

「十五歳のとき、彼女と関係したんです」

「一緒に寝たとおっしゃるの?」

「そうです」

「なんて粗暴な女なのかしら。十五歳でもてあそばれることに、あなたは耐えられたんですか?

いいえ、ご自分でおっしゃったわね、彼女が刑務所にいるときにまた朗読を始めたって。ご結婚されたことはあるの？」

ぼくはうなずいた。

「そして結婚生活は短く不幸で、あなたはもう再婚もせず、もし子どもがいるとしたら、いまは寄宿舎に入っているというわけね」

「それは何千人もの人に当てはまりますよ。シュミッツさんとは関係のないことです」

「最後の何年か、彼女とコンタクトを持たれて、彼女があなたに対してしたことについて、きちんとした自覚を持っていると思われたことは？」

ぼくは肩をすくめた。

「いずれにせよ、収容所や西への行進の際に囚人たちに対して犯した罪は意識していましたよ。そのことをぼくに言っただけではなく、刑務所でも最後の何年かはずっとそのことを考えていたようです」

ぼくは刑務所の所長から聞いたことを話した。彼女は立ち上がり、部屋の中を大股で行ったり来たりした。

「そして、お金はいくらありますの？」

ぼくは洋服掛けのところに置いておいたカバンを取りに行き、小切手とお茶の缶を持って戻ってきた。

「こちらです」

彼女は小切手を見てから、テーブルの上に置いた。お茶の缶は開けて中身を出してから、また蓋を閉め、じっと見つめたまま手に持っていた。

「子どものころ、宝物を入れる缶を持っていました。こういうタイプのお茶缶も当時あったけれど、わたしが持っていたのはそうではなくて、キリル文字が書いてあって、蓋を押し込んではなくて、かぶせるものでした。わたしは収容所までそれを持っていったけれど、ある日盗まれてしまったんです」

「何が入っていたんですか?」

「何でも入ってました。プードルの巻き毛とか、父に連れていってもらったオペラの入場券とか、指輪とか——それはどこかで当たったか、何かの箱の中に見つけたものでした。盗まれたのは中身のせいじゃないんです。缶そのものが、たくさん使い道があって、収容所では価値のあるものだったんです」

彼女は缶を小切手の上に置いた。

「お金をどう使ったらいいか、提案はおありですか? このお金をホロコーストの犠牲者のために使ったりすれば、ほんとに彼女に許しを与えることになってしまいそうだけど、わたしはそんなことはできないし、したくないの」

「読み書きを習いたがっている文盲の人のために使うというのはどうでしょう。きっと公共の基金とか、団体とか、協会などがあって、募金を受けつけているはずです」

「きっとあるわね」

彼女は考え込んだ。

「そういった団体で、ユダヤ人関係のものもあるかしら？」

「何かの団体があれば、必ずユダヤ人関係のものもあるとお考えになっていいでしょう。文盲はユダヤ人には似つかわしくない問題かもしれませんがね」

彼女は小切手と金をぼくに渡した。

「そうしましょう。アメリカでもドイツでもいいから、どんな種類のユダヤ人団体があるか調べて、あなたが一番ふさわしいと納得された団体の口座にお金を振り込んで下さい。もし彼女の遺志を汲んであげることがとても重要だとおっしゃるなら」

彼女は笑った。

「ハンナ・シュミッツの名前で振り込んで下さって構いませんわ」

彼女は缶を手に取った。

「わたしはこの缶だけ、いただいておきます」

12

いつのまにか、あれから十年がたってしまった。ハンナが死んで間もないころは、昔の疑問がぼくを苦しめたものだった。ぼくはハンナを裏切ったのだろうか。ぼくはハンナに借りがあるのだろうか。ぼくは彼女を愛したことで罪ある者となったのだろうか。ぼくは彼女の思い出から離れるべきなのだろうか。どうやって離れたらいいのだろうか。ときおりぼくは、彼女の死の責任も自分にあるのかと考えた。そしてときには、彼女に対して、また彼女がぼくにしたことに対して、腹を立てた。怒りが力を失い、問いが意味をなくしてしまうまで。ぼくがしたこと、しなかったこと、彼女がぼくにしたこと——何であれ、いまではそれがぼくの人生なのだ。

ハンナが死んだ直後から、いつかハンナとぼくの物語を書こうと思っていた。それ以来、頭の中では、何度もその物語を執筆した。いつも少しずつ違う物語が、新しいイメージや、ストーリーや、思考を伴って書かれた。ぼくが書いたこのバージョンの他にも、たくさんのバージョンがある。ここに書いたバージョンが正しいという保証は、ぼくがそれを書き、他のストーリーは書かなかったということで与えられる。書かれたバージョンは書かれることを欲しており、他の多くのバージョンは書かれることを望まなかったのだ。

最初は、自由になるためにぼくたちの物語を書こうと思った。しかし、執筆しようとしてもなかなか思い出がよみがえってこなかった。物語が逃げていってしまうようで、書くことでそれを取り戻そうとした。しかし、思い出を誘い出すことはできなかった。ぼくは自分たちの物語をそっとしておくことで、何年か前に物語と仲直りした。すると、物語がよみがえってきた。次々と細かいできごとまで、いわば完全な形で、ぼくをもう悲しませないように、きちんと完結し、整えられて。なんて悲しい物語なんだろう、とぼくは長いあいだ考えていた。いまではそれを幸福な物語とみなしているというわけではない。しかし、いまのぼくは、これが真実の物語なんだと思い、悲しいか幸福かなんてことにはまったく意味がないと考えている。

いずれにせよ、物語についてぼくが考えるのは以上のようなことだ。傷ついているとき、かつての傷心の思い出が再びよみがえってくることがある。自責の念にかられるときにはかつての罪悪感が、あこがれやなつかしさに浸るときにはかつての憧憬や郷愁が。ぼくたちの人生は何層にも重なっていて、以前経験したことが、成し終えられ片が付いたものとしてではなく、現在進行中の生き生きしたものとして後の体験の中に見いだされることもある。ぼくにはそのことが充分理解できる。にもかかわらず、ときにはそれが耐え難く思えるのだ。ぼくはやっぱり、自由になるために物語を書いたのかもしれない。自由にはけっして手が届かないとしても。

ニューヨークから戻って間もなく、ぼくはハンナのお金を、彼女の名前でユダヤ人識字連盟に振り込んだ。その連盟からは、ハンナ・シュミッツさんの寄付に感謝します、という、コンピューターで書かれた手紙が届いた。その手紙をポケットに入れて、ぼくはハンナの墓へ行った。それが初めての、そしてただ一度の墓参りになった。

訳者あとがき

「ギュンター・グラスの『ブリキの太鼓』以来、ドイツ文学では最大の世界的成功を収めた作品」。二〇〇〇年一月のある号で、週刊誌「シュピーゲル」はそんなふうに報じた。

ベルンハルト・シュリンク。一九四四年生まれ、現在は伝統あるフンボルト大学(ベルリン)の教授で、専門は『朗読者』の主人公と同じ法律学(ドイツ統一後、それまで東ベルリンにあったフンボルト大学に招聘された最初の西ドイツの教授が彼だったそうだ)。これまでにミステリー小説を三冊出版し、そのうちの一作はテレビドラマにもなっているが、作家としてはまったく無名に近かった。周囲のとらえ方は、大学の仕事の合間に余技でミステリーも書いてしまう器用な先生、といった程度だったろう。しかし、一九九五年に出版した『朗読者』の大ヒットは、彼にとっての本業と余技を逆転させてしまった感がある。この作品は発売後五年間で二十以上の言語に翻訳され、アメリカでは二〇〇万部を超えるミリオンセラーになった。作品の映画化の権利は『恋におちたシェイクスピア』などを扱った映画会社ミラマックスが獲得し、『イングリッシュ・ペイシェント』の監督でもあるアンソニー・ミンゲラがメガホンをとる予定だという。

小説の冒頭で描かれる十五歳の少年と彼の母親のような年齢の女性との恋愛はたしかにセンセーショナルなテーマではあるが、ナチス時代の犯罪をどうとらえるかという重い問題も含んだこの本がここまで国際的な成功を収めた背景は、いったいどこにあるのだろうか。この物語の一番の特徴は、かつて愛した女性が戦犯として裁かれることに大きな衝撃を受けながらも、彼女を図式的・短絡的に裁くことはせず、なんとか理解しようとする主人公ミヒャエルの姿勢にあるように思われる。彼女の突然の失踪に傷つき、法廷での再会後に知った彼女の過去に苦しみ、しかしそれでも彼女にまつわる記憶を断ち切ることはせず、十年間も刑務所に朗読テープを送り続けたミヒャエル。彼の律義さ、粘り強さには、ある種のドイツ人らしさが表われているように思う。前の世代が犯したナチズムという過失を見つめ続けることを余儀なくされ、それによって苦しむという体験は、敗戦後の民主主義教育を受けて育った彼の世代に共通のものだといえよう。しかしミヒャエル自身は「強制収容所ゼミ」に入って親の世代を糾弾する自分にかすかな良心の呵責を覚え、その後盛んになる学生運動に対しても距離をとり続けるのである。

過去に犯した罪をどのように裁き、どのように受け入れるか。この本で描かれている裁判の時期は一九六〇年代半ばと考えられるが、西ドイツでは実際に一九六三年十二月から六五年八月にかけていわゆる「アウシュヴィッツ裁判」が開かれ、かつての収容所の看守たちが裁かれた。初めてドイツ人がドイツ人の戦争犯罪を裁いたこと（戦争直後のニュルンベルク裁判では連合国がドイツを裁いた）、収容所での実態が初めて法廷で明らかにされたことで話題になったこの裁判の模様は、ペーター・ヴァイスが一九六五年十月初演の

『追究』において戯曲化している。そこでは、「自分はあくまで義務を遂行したのみで、ユダヤ人殺害の実態については知らなかった」と主張し、何とか罪を逃れようとする元看守たちの姿が際立っている。

一方、『朗読者』におけるハンナは法廷において積極的に罪を認めると同時に、真実と違う事実認定にはとことん抗議しようとするが、いつのまにか主犯に仕立て上げられ、さらにもう一つ別の要素も加わって、他の被告よりも重い刑に服することになる。この作品では看守としてハンナが犯した罪だけではなく、おそらくは貧しさゆえに満足な教育を受けることができなかったハンナの境遇が重要なポイントになっている。それは戦争犯罪に対する一種の免罪符ととれないこともない。もし条件が違っていれば、ハンナは収容所の看守になることはなかっただろうし、裁判も彼女に不利にはならなかったかもしれない。囚人に本を朗読させるほど知識に飢えたハンナ、自分の境遇を隠し通そうとする彼女のプライド、そして刑務所での勉強。しかし、それはもはや彼女の自立を助けることにはならなかった……。

戦後の歴史教育が抱える困難にも、シュリンクは光を当てようとする。ステレオタイプ化した収容所のイメージを頭にたたき込むだけでは、ほんとうに問題を理解することにはならない。主人公ミヒャエルは自分があまりにも収容所の実態について知らないことを自覚し、収容所の跡地を訪れるべくヒッチハイクの旅に出る。しかし、いまや無人の収容所跡に立ってみても、そこが実際に運営されていたころのことを思い浮かべるのは難しい。残された建物の外観は、どこにでもありそうなアットホームな印象すら与えるのだから。

当時の人々の立場に立って考え、理解することの難しさがここでも強調されている。『朗読者』の場合は、一九九〇年代初めの東ベルリンとの出会いが重要な役割を演じていました」。

執筆の動機を聞かれ、シュリンクは右のように答えている。統一直後の東ベルリンは灰色で、シュリンクが子供時代を過ごした一九五〇年代のハイデルベルクに似ていた、というのだ。通りを歩き、家々を眺めながら、彼の中で物語が膨らんでいった。シュリンクの目的は声高に物を教えることではない。ここで語られる事件についての判断は、読者に委ねられている。ハンナとミヒャエルの関係。裁判の経過。ハンナとミヒャエルの、その後の生涯。ハンナの最期を、読者はどのように受けとめられるだろうか。

ジョージ・スタイナーは、この本を二度読むように勧めている。ストーリーがわかりにくいというわけではない。ただ、一読したときにはインパクトの強い事件ばかりが印象に残るが、二読目に初めて登場人物たちの感情の細やかさに目が開かれる、という体験を翻訳者もしている。感情の襞を日本語でどこまで伝え得たか心もとないかぎりだが、くり返し手に取ってもらうことができれば翻訳者としても嬉しいかぎりである。

最後に、『朗読者』というタイトルについて。ドイツ語原題の Der Vorleser は男性単数形であり、明らかに主人公ミヒャエルを指している。『朗読する男』と訳すことも可能だったが、先に訳された英語版のタイトルが The Reader となっており、編集部の提案に従って『朗読者』とした。

翻訳の出版にあたり、作品との出会いを与えて下さった池内紀さんとラルフ・オルターマンさん、ドイツの司法制度について教えて下さった須田真人さん、文字化けでたびたびご苦労をおかけした新潮社出版部の鈴木克巳さんに心からの感謝をお伝えしたい。この本が一人でも多くの読者に届き、長くお手許においてもらえることを祈りつつ。

松永美穂

二〇〇〇年三月

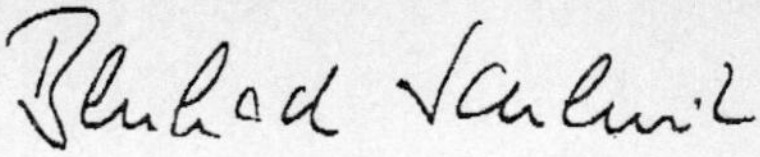

Der Vorleser

Bernhard Schlink

朗読者

著者

ベルンハルト・シュリンク

訳者

松永美穂

発行

2000年4月25日

9 刷

2000年7月5日

発行者 佐藤隆信

発行所 株式会社新潮社

〒162-8711 東京都新宿区矢来町71

電話 編集部 03-3266-5411

読者係 03-3266-5111

印刷所

株式会社精興社

製本所

株式会社大進堂

価格はカバーに表示してあります。乱丁・落丁本は、

ご面倒ですが小社読者係宛お送り下さい。

送料小社負担にてお取替えいたします。

ISBN4-10-590018-8 C0397

CREST BOOKS

Shinchosha

来たるべき作家たち

——海外作家の仕事場1998

The Shape of Literature to Come

海外文学の新しい大きな波を
インタビューと写真を中心に紹介する。
ポール・オースター、カズオ・イシグロ、
村上春樹、吉本ばなな他ベテラン作家に加えて、
エリザベス・マクラッケン、キャスリン・ハリソンなど
[新潮クレスト・ブックス]収録作家も続々登場。
新潮ムック　本体価格一五二四円（税別）

海外作家の文章読本

——海外作家の仕事場1999

長篇小説　短篇小説　旅行記　回想録　エッセイ　伝記　ポピュラーサイエンス

人生を書く方法は、いろいろとある。
様々なジャンルでの最高の書き手が明かす創作の秘密。
ジョン・アーヴィング、イアン・マキューアン、
ジャイルズ・フォーデン、エリザベス・ギルバート……他
作家のインタヴューに加え、プリンストン大学創作科の
ルポルタージュも収録した［新潮クレスト・ブックス］
特別編集の永久保存版。　本体価格一七一四円（税別）

巡礼者たち

Pilgrims
Elizabeth Gilbert

エリザベス・ギルバート
岩本正恵 訳

表舞台とは無縁の人々に突然訪れる「人生の一瞬」。
アメリカの新人文学賞をダブル受賞、
オンライン書店アマゾン・コムの読者採点でも
満点続出の希有の短篇集。
本体価格二〇〇〇円（税別）

アムステルダム

Amsterdam
Ian McEwan

イアン・マキューアン
小山太一 訳

才能と出世に恵まれた者は、やがて身を滅ぼす……。不完全な善人たちの滑稽と悲惨を描き、大人の小説愛好家をうならせる、洗練の極みの長篇。九八年度ブッカー賞受賞作。

本体価格一八〇〇円（税別）

CREST BOOKS

花粉の部屋

Das Blütenstaubzimmer
Zoë Jenny

ゾエ・イェニー
平野卿子 訳

娘をかえりみない子供のような親。抵抗のすべを知らない子供……。世界を静かに覆しつつある新しい家族像を、少女の視点で描き、ドイツ語圏の文学賞を独占したデビュー作。

本体価格一五〇〇円（税別）

CREST BOOKS

ジャイアンツ・ハウス

The Giant's House
Elizabeth McCracken

エリザベス・マクラッケン
鴻巣友季子 訳

初めて出会ったとき、彼はまだ十一歳。
本好きの、悠然とした、とびきりのノッポだった。
影のような図書館司書と、巨人症の少年の、
不器用でぎこちない愛の物語。

本体価格二四〇〇円（税別）

CREST BOOKS

旅の終わりの音楽

Psalm at Journey's End
Erik Fosnes Hansen

エリック・フォスネス・ハンセン
村松 潔 訳
タイタニック号とともに海に消えた楽団員。
偶然に導かれ運命の船に乗り合わせた彼らの生涯。
北欧作家が二五歳で発表した、
人生への問いかけに満ちた圧倒的巨篇。
本体価格二八〇〇円（税別）

CREST BOOKS